100 délicieuses recettes

créoles

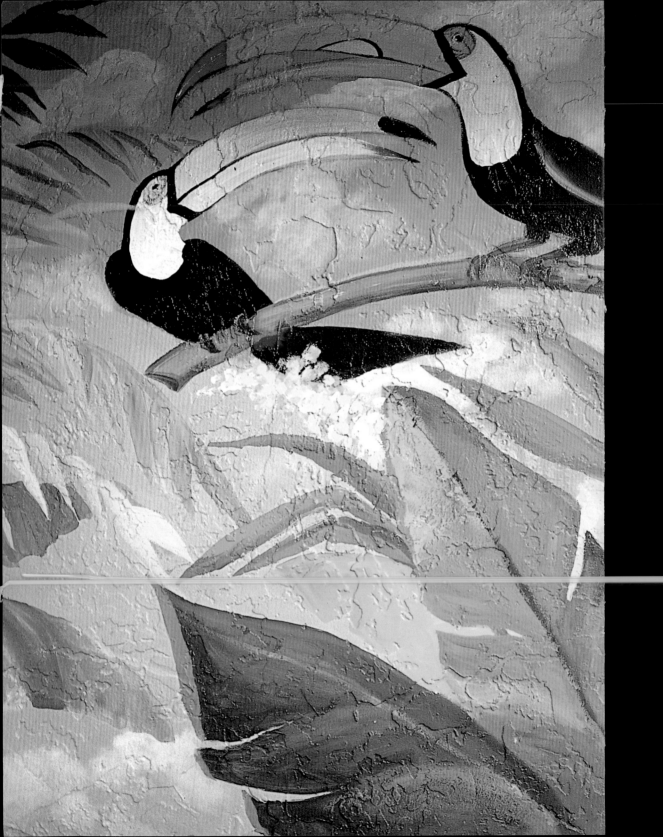

100 délicieuses recettes
créoles

modus vivendi

© 2004 Quantum Publishing Ltd.
Titre original : Creole Cooking

Les Publications Modus Vivendi inc.
5150, boul. Saint-Laurent 1er étage
Montréal (Québec)
Canada
H2T 1R8

Dépôt légal : 3e trimestre 2004
Bibliothèque nationale du Québec
Bibliothèque nationale du Canada

ISBN : 2-89523-283-0

SOMMAIRE

INTRODUCTION

La cuisine créole se développe en se perfectionnant depuis bientôt 500 ans, mais c'est avec une lenteur toute tropicale qu'elle circule d'un rivage à l'autre de la centaine d'îles qui constituent l'archipel des Antilles. Il semble qu'elle se soit répandue selon un mode traditionnel : d'une personne à l'autre, d'une île à l'autre et, finalement, d'un hémisphère à l'autre.

Le tourisme est responsable, en partie au moins, de cette dernière étape. Qui n'est pas revenu de ses vacances aux Antilles avec le souvenir ému des délices tropicaux dégustés, qu'il s'agisse d'en-cas mangés sur le pouce au bord de la plage ou de mets sophistiqués servis dans des assiettes en porcelaine dans un restaurant élégant. Heureusement, réaliser la plupart de ces plats exotiques est devenu relativement facile, grâce au développement de l'exportation des fruits et légumes tropicaux, provoqué entre autres par la demande des communautés antillaises et caraïbes installées un peu partout dans le monde. La présence et l'importance de ces communautés se manifestent par un intérêt croissant pour la cuisine et la culture caraïbes ; les carnavals antillais, par exemple, ont fait leur apparition en Amérique du Nord et en Europe, et plus précisément à Toronto et à Londres ; ils connaissent un succès croissant.

On peut manger par plaisir, mais, dans les Îles, manger est un plaisir culturel, à tel point que l'on dit que manger est le sport de plein air favori des Caraïbes, même la musique passe après la cuisine ! Les rythmes musicaux tirent d'ailleurs leur nom du vocabulaire alimentaire : *salsa* et *merengue*, par exemple, pour ne citer que ces deux-là. Des chansons célèbrent les vertus de la chèvre braisée au vin et des bananes vertes frites et les enfants récitent des comptines dans lesquelles à chaque lettre de l'alphabet correspond un mets : A comme acra, B comme banane, etc.

LES AMÉRINDIENS

La cuisine des Îles, l'une des plus variées du monde, doit beaucoup aux indigènes, les Amérindiens. Quatre siècles avant l'arrivée de Christophe Colomb, la tribu des Arawaks cultivait l'ail, le piment, le tabac, le blé, le coton, la papaye, la goyave, la sapote, l'ananas et le manioc ; et préparait des épices en écrasant des baies, des fleurs et des feuilles d'arbustes et de plantes.

Ils inventèrent un moyen de conserver les aliments, à base de manioc, et savaient préparer un ragoût de viande au piment de Cayenne, que l'on mange encore de nos jours dans les Îles sous le nom de *pepperpot*. Ils faisaient également griller la viande sur des feux de bois aromatiques et savaient faire du pop-corn. Le mot barbecue a d'ailleurs son origine dans le langage d'une tribu arawak d'Haïti ; il nous est parvenu *via* l'espagnol *barbacoa*.
Certains historiens de l'alimentation pensent que les tomates aussi ont fait leur apparition dans les Îles,

Carnaval aux Caraïbes.

en provenance du Mexique, à l'époque précolombienne, ainsi que d'autres produits alimentaires tels que le poivron, la courge et le cacao. L'un des premiers produits du Nouveau Monde que Christophe Colomb présenta à Isabelle de Castille était la patate douce des Caraïbes, en espagnol *boniato* (« patate » douce parce que le mot arawak *batata* ressemble à l'anglais *potato*). Les pommes de terre, quant à elles, furent introduites en Europe beaucoup plus tard, et elles provenaient des montagnes de l'Amérique du Sud. Le second produit exotique que Colomb ramena n'eut pas le succès immédiat du premier ; en revanche, avec le temps, sa popularité n'a fait que s'accroître, il s'agit du piment de Cayenne. Au siècle de Colomb, on découvrit que l'usage du piment était également répandu sur tout le continent asiatique et il est devenu depuis l'épice le plus utilisé au monde. L'Inde est le premier pays du monde pour la consommation du piment et en 1991 les États-Unis ont consommé plus de sauce au piment que de ketchup.

LES LIENS AVEC L'AFRIQUE

Alors que les Arawaks avaient été éliminés par d'autres tribus indiennes (principalement les belliqueux Caraïbes) autant que par la brutalité et les maladies des Blancs, un autre groupe ethnique apportait dans les Îles ses goûts et ses méthodes de cuisson et les adaptait aux fruits savoureux et aux tubercules dont se nourrissaient les indigènes.

Il s'agit des esclaves africains que l'on amena par milliers au XVIIe siècle pour travailler dans les plantations de canne à sucre. Avec eux arriva de la côte ouest de l'Afrique un grand nombre de racines et de graines comestibles et bientôt pois d'angole, pois des bois, okras et des légumes tels que le calalou (les feuilles du chou d'Asheen) se répandirent dans toutes les îles de l'archipel antillais.

Avec l'abondance et la variété de poissons et de crustacés qui peuplent la mer des Caraïbes – pompano, mérou, marlin, thon, *amberjack*, mulet, poisson volant, lampris, dauphin, *red snapper*, langouste, crabe, crevette et barracuda, pour n'en nommer que quelques-uns – les produits de la mer sont omniprésents dans la cuisine créole. Les plats à base de bœuf sont d'origine beaucoup plus récente et peuvent être une adaptation de plats à base de porc ou de gibier.

INFLUENCES EUROPÉENNES ET ASIATIQUES

Avec le temps, les recettes se transmirent d'île en île, subissant peu de modifications au cours de leur périple, si ce n'est qu'elles changèrent de nom selon la nationalité du pouvoir colonial qui régissait l'île. Quels que soient les apports d'autres groupes ethniques, la base de la cuisine antillaise est afro-amérindienne. Le qualificatif de créole qui lui est attribué est en fait usurpé, car si l'on accepte la définition du dictionnaire, cela voudrait dire que cette cuisine a été élaborée par des personnes nées dans les Îles, mais d'ascendance européenne, ce qui n'est pas le cas.

Ce préambule n'exclut pas, toutefois, l'existence d'influences européennes, particulièrement espagnoles, françaises et anglaises. Les Espagnols ont introduit dans les Îles le chou, l'oignon et la canne à sucre ; les Français ont apporté la ciboulette et ont enseigné aux indigènes des méthodes de cuisson raffinées telles que le court-bouillon de poisson aux épices et au piment. Et les ressortissants de ces trois nations européennes ont importé leur goût pour la morue salée, qui est toujours cuisinée dans les Îles.

D'Espagne arrivèrent également les oranges amères, que les Hollandais utilisèrent ultérieurement dans leur île de Curaçao pour fabriquer la liqueur du même nom. Certains historiens attribuent encore aux Espagnols l'arrivée dans les Îles de l'oranger, du citronnier et du bananier. L'officier britannique William Bligh revint à Tahiti après la mutinerie du Bounty puis en repartit avec un plein chargement de fruits à pain avec lesquels il avait l'intention de nourrir les esclaves de la Jamaïque. Il semblerait que les esclaves refusèrent de manger ces fruits musqués et farineux et qu'ils s'en servirent pour nourrir les animaux.

Les îles des Caraïbes comptent parmi les endroits les plus idylliques de la Terre.

Une particularité insulaire.

anglaise. Ce n'est pas un hasard si aujourd'hui à Port of Spain, vous tombez sur des marchands ambulants de *rotis* (galettes chaudes fourrées) à tous les coins de rues – la moitié de la population étant actuellement composée d'hindous.

Ce type d'immigration se développa encore durant le XIXe siècle dans la plupart des îles, y compris dans les colonies françaises comme la Martinique et la Guadeloupe où un plat « national » appelé *colombo* (le curry d'aujourd'hui) fut introduit par les travailleurs hindous venus du Bengale.

CERTAINS L'AIMENT CHAUD

Malgré les influences multiples venues des pays les plus reculés de la planète, les Antillais apprécient tous la même cuisine et si, d'une île à l'autre, un plat est plus épicé ou d'une autre consistance, les ingrédients de base, eux, restent identiques.

Les Cubains par exemple ne jurent que par les haricots noirs tandis que la plupart des autres insulaires préfèrent les haricots rouges. Les habitants des îles Vierges utilisent des épinards pour faire une soupe, le calalou, alors que ceux des autres îles se servent exclusivement des feuilles du chou d'Asheen. Les cuisiniers des Bahamas ont longtemps été réputés pour leur pain levé, alors que les Cubains préfèrent leur pain levé grillé et tartiné d'ail et de beurre. À Trinidad, on affectionne les *parathas*, galettes d'origine indienne également appelées rotis ; quant aux Bajans, les insulaires de la Barbade, ce sont, eux, des inconditionnels d'un pain proche du cake aux fruits, farci de patates douces, de noix de coco, de fruits, d'épices et de rhum.

On peut faire l'historique des Îles simplement en étudiant une plante, le piment. En Jamaïque par exemple, des esclaves en fuite l'utilisèrent pour aider à la conservation de la nourriture dans les endroits chauds et humides où ils se cachaient. Plus tard, sur des îles au large de Trinidad, et à Tobago près de la Martinique et de la Guadeloupe, les hindous, venus du Bengale, importèrent leur savoir-faire dans la découpe de viande coriace, comme celle de la chèvre, et ajoutèrent le piment du pays à leur marinade. Sur ces îles et celles environnantes, le piment devint un ingrédient essentiel à de nombreux plats. À Cuba – où le piment *habanero* est censé avoir ses origines – celui-ci est rarement cultivé ou consommé. Les colons espagnols le soupçonnaient de rendre les animaux malades.

La plupart des habitants des Caraïbes sont directement originaires des tribus d'Afrique ; comme les Haïtiens dont les ancêtres vivaient au Dahomey (l'actuel Bénin), un petit pays de l'Afrique de l'Ouest. Et l'on retrouve cette même

Le capitaine Bligh importa un autre fruit, avec plus de succès, puisqu'il a été nommé d'après lui *Blighia sapida*, et est encore présent de nos jours dans le plat national de la Jamaïque : le poisson salé aux arilles de graines de blighia.

Les Britanniques importèrent également le boudin, la sauce Worcestershire et le rhum. Le terme rhum est lui-même d'origine anglaise, et vient de *rumbullion* (jeu de mots entre rhum et rébellion).

De nos jours, les boissons tout comme les plats gastronomiques sont parfumés de ce rhum démoniaque issu du suc des grandes cannes à sucre qui se balancent et poussent sur toutes les îles ; on dit qu'à l'origine c'est Christophe Colomb lui-même qui les planta lors de son second voyage aux Antilles. Un breuvage plus fade fut lui aussi amené par les Anglais dans les îles, *via* Grenade, la Barbade et les Bahamas… c'était le thé.

D'autres communautés d'émigrants ont elles aussi laissé trace de leur passage. À Saint-Martin, Aruba et Curaçao, vous trouverez des *rijsttafels* – plats à base de riz accompagné de viande et de poisson, délicieux apport culinaire des immigrants indonésiens aux Antilles néerlandaises. À Trinidad, ce sont des currys magiques que l'on cuisine dans les maisons et les restaurants depuis 1834, date à laquelle un nombre considérable d'hindous, de musulmans et de parsis envahit l'île, alors sous tutelle influence aux États-Unis, dans certains plats cajun-créoles, en particulier dans le *gombo*, soupe épaisse à base d'okra ; en 1790, fuyant la révolte des esclaves à Saint-Domingue qui s'acheva par la création de l'État indépendant d'Haïti, les réfugiés français vinrent à la Nouvelle-Orléans avec, à leur suite, leurs esclaves de famille, parmi lesquels des cuisiniers.

Il ne faut pas confondre les plats créoles des îles et les plats cajun-créoles. Les influences si évidentes d'Acadie et d'Alsace-Lorraine dans certains plats de Louisiane et des États bordant le golfe du Mexique ne sont pas manifestes aux Antilles, en raison des origines ethniques différentes.

La cuisine créole utilise beaucoup plus de poivre, de tomates, de concentré de tomate, de lard, de tubercules tropicaux, de fruits et d'épices (comme le piment de la Jamaïque), de cannelle, de clou de girofle, de gingembre et de noix de muscade que la cuisine cajun-créole et moins de beurre, de crème, de céleri, de basilic et de cette sauce faite d'huile ou de beurre et de farine appelée le roux. Le gombo cajun-créole – gombo étant le terme africain pour okra, dont l'origine n'est plus à prouver – peut même être cuisiné sans okra !
Là-bas, on continue à parler de gombo – de *filé gombo*, très précisément – que l'on épaissit avec de la poudre de *filé* extraite des feuilles du sassafra et non pas du gombo.

Comme la cuisine caribéenne, le carnaval est coloré et exubérant.

LA REDÉCOUVERTE DU NOUVEAU MONDE

Il semble qu'aux Antilles l'on ait redécouvert le Nouveau Monde. Des chefs réputés venus du monde entier, mais aussi originaires des îles, ont choisi de vivre et de travailler sur leur propre petit coin de paradis, important ainsi la grande cuisine dans les Caraïbes. Lors de votre prochain voyage aux Antilles ne vous étonnez pas de trouver inscrits au menu des plats comme l'iguane au vin ou la glace à l'avocat.

C'est pourquoi j'ai tenté d'intégrer dans ces pages quelques-uns des plats traditionnels des Caraïbes, les plus faciles à réaliser, mais aussi des plats plus sophistiqués, créés par ces nouveaux explorateurs, ces chefs qui ont adopté les îles et ont été inspirés par les fruits tropicaux, les tubercules et les épices.

Par contre, j'ai volontairement écarté les recettes de chèvre sauvage rôtie, de raton laveur, d'oursin et de manicou – un délicieux ragoût d'opossum de Trinidad. Et j'espère que les puristes me pardonneront d'avoir occulté le *mannish water*, une soupe à base d'abats de chèvre. Il est déjà assez difficile de se procurer ces ingrédients à Miami, porte des Caraïbes, a fortiori dans les autres pays du monde.

Heureusement, la cuisine caribéenne tire sa véritable essence de mélanges d'épices et de marinades dont on peut facilement trouver la plupart des ingrédients. Ils s'harmonisent bien et se digèrent sans aucun problème – surtout couronnés d'un daïquiri, d'un punch planteur ou d'une tasse de *Jamaïcan Blue Mountain*, le meilleur café au monde.

INGRÉDIENTS ET MÉTHODES DE CUISSON

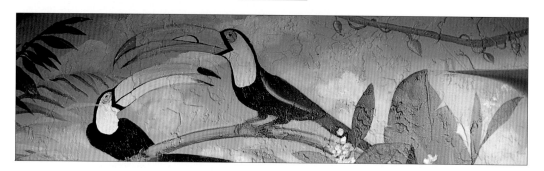

LE FEU DES PIMENTS

Les piments des Caraïbes sont les *habaneros*, connus aussi sous le nom de piments du pays ou piments oiseaux – ceci parce que même les oiseaux des îles, qui ont un goût marqué pour la cuisine épicée, les picorent. Aux Bahamas, on les appelle *mama bahama*. Une autre appellation, anglaise, du piment est Scotch Bonnet, un nom qui lui vient de sa forme. Lorsqu'ils poussent, ils sont verts, mais deviennent rouges, orange, jaunes ou blancs quand ils sont mûrs ; ils ont la taille de tomates cerises. Ils font partie des piments les plus forts du monde – les *jalapeños* atteignent 5 sur l'échelle de chaleur, les *habaneros*, eux, montent jusqu'à 10 et même deux fois plus – et sont employés dans toutes les Caraïbes comme condiments (voir plus bas) dans de multiples sauces, pâtes, currys et marinades, mais aussi dans d'autres plats tels que salades, soupes, ragoûts et beignets. Vous pouvez mettre n'importe quel piment dans ces recettes ; les frais sont plus craquants et de couleur vive.

Veillez à mettre des gants en caoutchouc pour les manipuler et goûtez-en un tout petit bout avant de décider quel degré d'épice donner à votre plat.

Les doses indiquées dans ces recettes ne sont que simples suggestions d'une cuisinière ; comme le parfum, chaque piment – y compris ceux de la même famille – a sa propre essence et aura probablement des répercussions différentes chez vous et chez moi. Quoi que vous fassiez, ne touchez jamais votre visage avec vos mains. Petite fille, je m'étais frotté par mégarde les yeux alors que j'aidais ma mère à mettre des piments en boîte ; la brûlure fut si aiguë que je crus devenir aveugle. Vous trouverez plusieurs recettes de sauce au piment dans la partie Grillades épicées (page 81). Vous pouvez utiliser une sauce en bouteille comme celles indiquées plus bas, du Tabasco ou toute autre sauce pimentée de votre choix. Quelle que soit la sauce épiçant votre plat, pensez à en poser une coupelle ou une bouteille sur la table, comme c'est la coutume aux Antilles, pour répondre à toute demande.

LES CONDIMENTS DANS LE COMMERCE

Différentes façons d'accommoder les sauces nous viennent des Caraïbes. Les noms de marques de la plupart nous en donnent les grandes caractéristiques : *Jamaica Hell-Fire* (Feu de l'Enfer jamaïcain), *Bonney Pepper Sauce, Doc's Special Jamaica Hellfire, Evadney's Jamaican Hot Sauce, Pepper Sherry Sauce, Hell in a Bottle, Pickapeppa, Matouk's Hot Calypso Sauce, MP West Indian Hot Flambeau, Trinidad Pepper Sauce, West Indies Creole Hot Pepper Sauce* et *Melinda's XXXtra Hot Sauce*.

Les marinades aux épices et les poudres de curry sont elles aussi mises en conserves et exportées. En voici les principales marques : *Vernon's Jamaican Jerk Sauce, Walkerswood Jerk Seasoning, Uncle Bum's Jamaican Curry Powder*.

MAGIE DES SAUCES ÉPICÉES

Bien avant que Christophe Colomb ne débarque aux Caraïbes, les Indiens arawaks conservaient leur viande en la badigeonnant d'épices et en l'enveloppant dans des lamelles de piments acides ; ils la cuisaient ensuite longuement sur un feu de bois aromatisé jusqu'à ce qu'elle soit tout à fait sèche, mais toujours parfumée.

Plus tard, en Jamaïque, les esclaves africains échappés de leur geôle et cachés dans les montagnes, adoptèrent cette méthode de boucanage. C'était là une variante d'une technique africaine de découpe de viande de gibier en gros morceaux que l'on exposait au soleil, à l'abri des mouches, pour qu'elle sèche. Les tranches de viande, préparées par les nègres marrons – comme on les appelait –, fumaient dans les montagnes, sans être altérées par l'humidité importante des tropiques ; une tradition encore vivace aujourd'hui. Très tôt, trappeurs nord-américains, marchands et explorateurs empruntèrent cette méthode de conservation aux Indiens nord-américains.

Plus tard, lorsque les pionniers émigrèrent vers l'ouest, dans les régions peuplées de Mexicains et d'Indiens, ils créèrent le mot *jerky* pour désigner les tranches de viande qui les nourrissaient pendant leurs longs voyages. Les termes *jerk* et *jerky* viennent de l'influence de l'anglais sur le mot espagnol *charqui*, que les conquistadors, à leur tour, avaient emprunté aux Indiens quechuas du Pérou et de l'Équateur. (Sur ce point, les linguistes font remarquer que les Indiens parlaient de *escharqui*, les Espagnols avalant la première syllabe du mot).

Des origines de ce mot, il reste aux États-Unis toute une tradition de délicieux steaks grillés au charbon de bois et de jambon fumé, alors qu'en Jamaïque, à la Barbade, à Trinidad, à Tobago et dans d'autres îles des Antilles, toute une forme d'art culinaire se développa autour du *jerk*.

Avec l'arrivée de la réfrigération et les nouvelles façons de cuisiner qu'elle entraîna, le besoin de conserver la viande par séchage disparut, mais pas le goût des épices, ni les bienfaits des marinades attendrissantes, des pâtes et des nappages.

De nos jours, on cuisine les plats braisés aux épices de diverses façons, mais on pratique encore la méthode originelle du boucanage, c'est à dire lorsque la viande est doucement grillée et fumée sur un feu de bois épicé (celui du myrte-piment) ou de bois de goyavier.

Ce type de cuisson est largement répandu à travers toutes les Caraïbes – en Jamaïque, par exemple, des cabanes et des stands à barbecue se dressent dans toute l'île. Les gens qui préparent la viande, la volaille, le poisson ou les fruits de mer sont appelés *jerk mon*.

De nos jours, il existe toutes sortes d'assaisonnements épicés aux Caraïbes. La plupart font appel à une combinaison d'épices des îles, tels que piment de la Jamaïque, cannelle et muscade, plus des piments – en poudre, liquide ou hachés –, de l'oignon et de l'ail sous toutes leurs formes.

Quelques marinades contiennent des liquides acides comme du jus de citron ou du vinaigre pour les rendre plus âpres ; d'autres introduisent des ingrédients tels que le sucre ou la mélasse pour les adoucir. D'autres encore sont plus complexes, combinant tous les ingrédients cités plus des herbes et des condiments, comme la sauce Worcestershire, la sauce au soja ou la moutarde ; d'autres enfin sont relevées avec du bouillon de volaille au rhum.

FRUITS, COURGES ET TUBERCULES

BONIATO Ce tubercule à chair blanche est une espèce particulière de patate douce tropicale. De consistance onctueuse une fois cuisinée, elle est légèrement sucrée. Préférez des patates douces de petite taille qui sont plus tendres. Si vous n'en trouvez pas, utilisez des pommes de terre à chair sucrée.

CALEBASSE De la taille d'un ballon de football, cette grosse courge à chair orange est habituellement vendue en morceaux comme ceux de la citrouille, bien que sa consistance et sa saveur soient quelque peu plus douces. Aux Antilles on la trouve chez les épiciers et sur les étals des marchés. On peut sans problème la remplacer par d'autres variétés de courges ou de citrouilles.

MANIOC Ce gros tubercule féculent (appelé aussi *yuca* et cassave) est employé dans la cuisine africaine, caribéenne et en Amérique latine ; on le trouve aux Antilles chez les épiciers et sur les étals des marchés. Le tapioca est tiré de la fécule de la racine. Ne le confondez pas avec la cassave amère (qui, non cuisinée, est toxique et sert à confectionner des flèches empoisonnées), ni avec le yucca, cette plante du désert aux fleurs couleur ivoire. Sa peau, peu attractive, ressemble à de l'écorce et sa chair est aussi dure que de la pierre. Le manioc est difficile à préparer, d'autant plus que sa chair est traversée par un cordon fibreux, mais ceux qui s'acharnent découvriront un tubercule savoureux, qui concentre à lui seul les parfums riches et épicés de la cuisine caribéenne. Si vous ne trouvez pas de manioc, remplacez-le par des pommes de terre à chair blanche.

CHAYOTE On appelle aussi christophine, *cho-cho* et *chu-chu*, ce fruit tropical proche de la courge, ressemblant à une poire verte noueuse. Cuisinée, la chayote a une légère saveur piquante et citronnée et un goût de concombre. Elle se conserve bien et perd rarement la consistance craquante de sa chair ; on la trouve dans de nombreux magasins spécialisés et sur les étals de marché, tout au long de l'année.

LAMELLES, CRÈME ET LAIT DE NOIX DE COCO Ne confondez pas le jus contenu par le fruit frais et le lait de noix de coco qui est obtenu par trempage de la noix de coco sèche non sucrée dans de l'eau bouillante, émulsionnée dans un robot ménager ou un mixer, et enfin filtrée – 2 tasses d'eau pour une tasse de noix de coco donnent du lait ; 1 tasse d'eau pour une tasse de noix de coco donne de la crème. Le lait de noix de coco sucré en bouteille, incontournable des cocktails tropicaux, est vendu chez les épiciers asiatiques et caribéens. Vous pouvez faire vous-même du lait de coco sucrée en faisant macérer 2 cuillères à soupe de lamelles de noix de coco sucrées dans de l'eau pendant 5 minutes. Pour griller les lamelles de noix de coco, faites chauffer une poêle à feu moyen, ajoutez les lamelles et laissez cuire 5 à 6 minutes en remuant fréquemment, jusqu'à ce qu'elles dorent. On trouve aussi des lamelles de noix de coco non sucrées dans le commerce.

GOYAVE Cultivée en Australie, en Afrique du Sud et dans certaines parties du sud-est asiatique aussi bien qu'aux Caraïbes, certaines de ces noix, de la taille d'une pomme, ont un goût de fraise, alors que d'autres ont celui de la banane, d'autres encore celui du pamplemousse, toutes les autres, enfin, ayant un goût qui ne ressemble à aucun autre dans le monde. C'est quand elle a l'aspect d'une belle poire que la goyave est mûre et sucrée.

IGNAME Encore un tubercule féculent à la peau semblable à de l'écorce. Utilisé comme ersatz caribéen de la pomme de terre, il a un goût étrange de noisette.

SAPOTE La famille sapote est vaste, mais les Cubains vous diront sans hésiter qu'il n'en existe qu'une ! Le fruit national de l'île a une peau brune rugueuse ; la chair, elle, est d'une couleur saumon éclatante, granuleuse, son noyau est d'un noir étincelant. Son goût rappelle à la fois celui de la pêche, de la cannelle et de la citrouille.

MANGUE Ce fruit, porté par un arbre tropical à feuilles persistantes, a la taille d'une orange et une pulpe juteuse, jaune orangé. Les mangues sont récoltées aux Caraïbes tout au long de l'été ; on les trouve également en conserve. La plupart des variétés évoluent du vert à tous les tons de rouge, orange et jaune quand elles sont mûres ; on dit des petites mangues d'Asie qu'elles sont les meilleures. Pressez doucement le fruit pour vous assurer qu'il n'est pas trop dur et vert. Certaines personnes sont allergiques au jus de mangue ; à son contact leur peau se met à enfler ou se couvre d'ampoules. Si c'est votre cas, mettez des gants de caoutchouc. S'il n'existe pas de substitut idéal à la mangue, vous pouvez toujours essayer de combiner les parfums qu'elle renferme : pêche, pamplemousse et abricot. Certains, même, n'hésitent pas à la remplacer par des nectarines.

PAPAYE On la connaît aussi sous le nom de *fruta bomba* et *pawpaw*. Partout dans les Caraïbes, la papaye abonde. De la taille d'un avocat, elle se présente sous toutes les formes et toutes les couleurs. Elle se récolte tout au long de l'année, et quand elle est mûre, sa chair varie du jaune pâle au jaune orangé. C'est quand elle n'est pas mûre, et encore verte, que la papaye peut se cuisiner comme une courge ; quand elles sont mûres, elles agrémentent les salades de fruits, servent de décoration ou encore sont pochées pour les desserts. Si vous désirez en faire mûrir une, placez-la dans un sac en papier épais perforé de quelques trous, à température ambiante ; quelques jours après, elle mûrira dans des tons jaune rosé. La papaye renferme de délicieux pépins noirs au goût de cresson que l'on utilise dans les salades ou dans la vinaigrette. La papaye – comme la mangue – ayant une sève abrasive, n'hésitez pas à porter des gants.

FRUIT DE LA PASSION D'un aspect extérieur repoussant, ce fruit à peau brune, de la taille d'un gros œuf, a une pulpe unique aux goûts mêlés de citron, de pamplemousse et de goyave.

PLANTAIN Membre féculent de la famille des bananes, le plantain peut être cuisiné. Sa chair peut être ivoire, jaune ou rose. Si une recette mentionne des plantains verts, votre travail est alors tout simple : cherchez seulement des plantains à peau verte. Les plantains sont des féculents et ne sont pas sucrés. Si une recette spécifie des plantains mûrs, choisissez ceux qui virent du vert au jaune-brun. Et si vous ne trouvez que des plantains à peau verte pour une recette dans laquelle des mûrs sont essentiels, placez-les sur la grille du four, à 150 °C, thermostat 2, jusqu'à ce que la peau noircisse et commence à se fendiller.

JUS D'ORANGE DE SÉVILLE C'est le jus des oranges amères ou de Séville que l'on trouve habituellement sur les marchés hispaniques. Importés aux Caraïbes par les Espagnols, les arbres portent un fruit dont la pulpe est trop acide pour être mangée. Par contre, son jus est largement utilisé dans la liqueur de Curaçao et dans les marinades préparées sur les îles de langue espagnole. Les oranges de Séville entrent également dans la préparation des marmelades. Pour les remplacer, mélanger une dose de jus d'orange classique à une dose de jus de citron ou de citron vert.

CARAMBOLE Ce fruit jaune et cireux a une forme qui fait penser aux soufflets d'un accordéon et le gabarit d'une banane joufflue. Quand on le découpe, on obtient des tranches qui ressemblent à des étoiles jaunes – d'où son nom en anglais *Starfruit*. En janvier, ces petites merveilles exhalent un doux parfum ; et leur saveur, sucrée et âpre à la fois, ajoute un peu de piquant aux plats. On peut déguster ces « étoiles » telles quelles, sans les peler ; coupées en tranches, elles serviront pour la décoration. En général, les variétés à peau blanche sont sucrées et combinent les saveurs des prunes, des pommes, des raisins avec un arrière-goût de citron. Les variétés à peau jaune, à nervures très étroites, sont par contre légèrement âpres.

LÉGUMINEUSES

HARICOTS De nos jours, il n'est pas toujours nécessaire de faire tremper les haricots. Pour vous en assurer, lisez les conseils de cuisson imprimés sur l'emballage. Si vous ne trouvez pas le type de haricots préconisé pour faire une recette, utilisez tout simplement les haricots que vous avez sous la main ; la plupart des plats peuvent se préparer avec n'importe quels haricots, seuls les puristes s'en offusqueront. Sachez que le vin, le jus de citron, le vinaigre et les tomates sont acides et qu'ils peuvent empêcher les haricots de ramollir ; si vous devez utiliser un de ces ingrédients, ajoutez-le lorsque la cuisson est presque terminée.

POIS D'ANGOLE Ces graines rondes, de la taille d'un petit pois de jardin, sont originaires d'Afrique. On les connaît sous différents noms : *gunga, arhar dah, gandules* (en espagnol), *goongoo*, petits pois des tropiques, etc. Ils sont très utilisés dans la cuisine antillaise, secs ou frais. Vous les trouverez dans les épiceries spécialisées en produits exotiques. Vous pouvez les remplacer par des haricots rouges.

POIS YEUX-NOIRS Appelés aussi *cowpeas*, il ne s'agit en fait ni de haricots ni de pois, mais de lentilles qui sont les graines d'une plante tropicale qui pousse dans les Caraïbes. Comme pour les haricots, lisez les instructions imprimées sur l'emballage pour savoir s'il faut oui ou non les faire tremper. Si vous les avez fait tremper, faites-les cuire dans la même eau. Pendant la cuisson, remuez-les délicatement pour ne pas les écraser.

PLANTES AROMATIQUES DES CARAÏBES

Les épices originaires des Antilles sont tellement nombreuses qu'il serait trop long de toutes les citer : cannelle, clou de girofle, gingembre, macis, noix muscade, piment de la Jamaïque… Il n'est pas nécessaire non plus de les décrire car la plupart sont connues et utilisées dans le monde entier. En revanche, c'est avec plaisir que vous allez découvrir les combinaisons originales de ces différentes épices, qui vous permettront de réaliser chilis, sauces, marinades, assaisonnements divers, colombos et currys. Bien entendu, vous avez toujours intérêt à préférer les épices et les herbes aromatiques fraîches. Il vaut mieux également acheter les baies, fleurs, feuilles ou graines entières et en petite quantité, puis hacher les feuilles ou moudre les baies ou les graines soi-même, au dernier moment. Certaines épices s'oxydent facilement, conservez-les dans un petit récipient hermétique que vous garderez au frais et à l'abri de la lumière, au réfrigérateur, par exemple.

CORIANDRE Encore appelée persil arabe ou persil chinois, cette herbe aromatique a des feuilles larges, plates et dentelées qui la font ressembler au persil ; d'ailleurs, certains cuisiniers qui n'apprécient pas sa saveur très particulière la remplacent par du persil à feuilles plates. La cuisine caraïbe utilisant diverses épices, si vous n'aimez pas la coriandre, ne vous forcez pas à l'employer. Les feuilles de coriandre fraîches n'ont pas du tout la même saveur que les graines, ni la même utilisation d'ailleurs. N'achetez pas de feuilles de coriandre séchées, elles ont un désagréable goût âcre de tabac.

PIMENT DE LA JAMAÏQUE Encore connue sous le nom de toute-épice ou myrte-piment, cette épice originaire des Caraïbes est présente dans la plupart des recettes de la cuisine créole. Il ne s'agit pas, comme pourrait le laisser supposer son nom anglais de toute-épice (*allspice*) d'un mélange de plusieurs épices, même si le piment de la Jamaïque n'est pas sans rappeler la cannelle, le clou de girofle, la noix muscade et le poivre. Il ne faut pas la confondre non plus avec les petits piments doux dont on farcit les olives. Le piment de la Jamaïque a été long à s'imposer dans les cuisines européennes, dans les Caraïbes au contraire, il participe à l'assaisonnement d'une multitude de plats. Le bois aromatique du myrte-piment étant, lui, utilisé pour parfumer les grillades. N'hésitez pas à l'ajouter à votre panoplie d'épices ; si vous ne trouvez pas de baies entières, achetez-le en poudre. Vous vous en servirez pour assaisonner les pizzas, les navets, les aubergines, les betteraves, les haricots, le bœuf…, et pour faire ressortir le goût légèrement épicé des patates douces.

TAMARIN Le tamarinier est un arbre dont les feuilles rappellent la fougère, ses fruits se présentent sous la forme de longues gousses brunes contenant de la pulpe et quelques graines. La pulpe est comestible et employée dans la cuisine indienne, orientale, sud-américaine et caraïbe. On trouve la pulpe de tamarin, séchée ou surgelée, dans les épiceries spécialisées en produits exotiques. On peut manger le fruit frais du tamarinier nature, ou le rouler dans du sucre cristallisé, ou encore le mélanger avec de l'eau et du sucre pour obtenir de l'eau de tamarin, un *refresco* comme disent les populations latino-américaines. Pour faire du jus de tamarin, mettez dans une petite casserole 75 g ou 1/2 tasse de pulpe de tamarin séchée avec 35 cl ou 1 1/2 tasse d'eau, faites cuire à feu doux pendant 10 minutes, puis retirez du feu et laissez reposer 1 heure avant de passer. La préparation a la consistance de la crème épaisse, vous pouvez éventuellement rajouter un peu d'eau. Même si vous pensez ne pas connaître le tamarin, vous en avez sans doute consommé sans le savoir, car c'est un des ingrédients de la Worcestershire sauce !

VANILLE Elle est arrivée en Europe au XVIe siècle. La vanille est une orchidée tropicale grimpante dont les fruits sont des gousses contenant de la pulpe et des graines. En faisant fermenter des gousses de vanille, on obtient une huile essentielle volatile, la vanilline, à la saveur et à l'arôme caractéristiques – doux, épicés, et légèrement boisés, avec un arrière-goût de chocolat (c'est la vanille qui, en fait, donne au chocolat blanc son goût de chocolat). Quelques recettes prévoient l'ajout éventuel d'une gousse de vanille, il est très facile de s'en procurer, dans la plupart des magasins d'alimentation ; sachez qu'une gousse de vanille apporte toujours une note de raffinement. Faites votre propre liqueur de vanille en faisant macérer dans un bocal 2 gousses de vanille, coupées en tronçons de 5 cm, dans 22,5 cl d'eau-de-vie, fermez hermétiquement et laissez macérer pendant 3 mois en agitant 1 fois par semaine. Vous remplacerez ainsi la vanilline synthétique.

SPÉCIALITÉS

BEURRE CLARIFIÉ L'usage du beurre clarifié dans la cuisine créole est dû à l'influence de la cuisine indienne. Ce produit est obtenu par élimination de l'eau et des résidus solides du lait ; il ne reste plus alors que la matière grasse pure qui peut être portée à haute température sans brûler. On trouve du beurre clarifié, sous le nom de *ghee*, dans les épiceries asiatiques et indiennes. Vous pouvez le préparer vous-même en mettant du beurre à fondre, à petit feu, dans une casserole à fond épais. Lorsque le beurre a fondu, écumez la mousse qui se forme à la surface, puis versez le beurre fondu dans un récipient en verre ; il se sépare en deux couches : les résidus solides du lait se déposent au fond du récipient, une couche jaune et transparente flotte à la surface. Versez cette couche liquide dans un récipient possédant un couvercle. Vous pourrez conserver le beurre clarifié ainsi obtenu au réfrigérateur, pendant plusieurs semaines, ou même le congeler.

CHORIZO Les Espagnols ont amené dans les Îles leur goût pour les saucisses de porc épicées et légèrement fumées. Si vous n'en trouvez pas, ce qui paraît peu probable, vous pouvez remplacer le chorizo par des saucisses italiennes.

LAMBI La chair de ce grand coquillage de 30 cm de long est dure, on l'utilise hachée dans de nombreux plats antillais. Le français a adopté le nom caraïbe de ce mollusque, qui est aussi appelé *concha* et *conch* (prononcé conque). Vous le remplacerez sans doute par des palourdes ou des clams.

QUELQUES MOTS SUR L'ÉQUIPEMENT

La cuisine antillaise ne nécessite pas d'équipement particulier. D'ailleurs, certaines recettes sont réalisées depuis des temps fort lointains dans des conditions que beaucoup considéreraient comme rudimentaires. Un petit mot à propos des saladiers, pots, casseroles et autres récipients. Des ingrédients acides (jus de citron, vinaigre) entrent dans la composition de la cuisine créole, prévoyez d'utiliser des récipients qui ne s'oxydent pas. Si vous manquez de saladiers en verre, placez votre marinade dans un sac en plastique résistant et hermétique que vous pourrez facilement retourner.

COCKTAILS

Le sirop de canne est à la base de la plupart des cocktails. Vous pouvez faire votre propre sirop de sucre en faisant bouillir pendant 5 minutes 1 volume de sucre dans 2 volumes d'eau. Préparez-le en quantité et conservez-le au réfrigérateur pour votre prochaine envie de boisson tropicale.

La glace pilée est le deuxième ingrédient de base de ce type de boisson. Si vous préparez souvent des cocktails, vous pouvez envisager de faire l'acquisition d'un broyeur, manuel ou électrique ; mais, avant de faire cet achat relativement onéreux, vérifiez si vous ne pouvez pas faire de la glace pilée avec votre robot ménager.

Si vous ne disposez d'aucun ustensile approprié, enveloppez des glaçons dans un torchon propre et pilez-les avec un maillet en bois ou enfermez un morceau de glace dans un sac en plastique résistant avec lequel vous frappez violemment le sol.

Au pays de la canne à sucre, le rhum est bien entendu l'ingrédient de choix, mais il y a tout un monde entre les rhums secs de Porto Rico ou de Cuba et ceux de la Jamaïque, de même qu'entre ceux de la Jamaïque et ceux de la Barbade, d'Haïti ou de la Martinique. Les différences augmentent selon le traitement de la canne à sucre et la méthode de distillation. Les cocktails à base de jus d'agrumes sont en général préparés avec du rhum blanc, les drinks plus sucrés ou épicés sont faits, eux, avec du rhum ambré ou avec du vieux rhum.

La plupart des ingrédients utilisés pour la préparation des boissons tropicales se trouvent dans le bar ou le réfrigérateur de tout amateur de ce type de boisson, à l'exception peut-être des fruits tropicaux frais. N'hésitez pas à tester les différentes variétés de rhums des Îles, en achetant des petites bouteilles, par exemple ; et exploitez au maximum le rayon surgelés et celui des jus de fruit de votre supermarché. De nouveaux produits, nectars et jus de fruits exotiques concentrés, apparaissent sur le marché ; ils seront un excellent stimulant pour votre imagination.

Si vous préférez les boissons peu ou pas alcoolisées, apprenez à faire des punchs, des cocktails de fruits et des milk-shakes (page 25).

Les hypothèses sont multiples quant à l'origine légendaire du daïquiri. Certains récits sont longs et complexes. L'un dit que la recette était un secret qui fut divulgué lors d'un rite d'initiation à un groupe d'officiers nord-américains en garnison à la base navale de Guantánamo, dans la baie du même nom, à Cuba. Bacardi, l'un des plus importants planteurs du monde, une marque originaire de Cuba, ne dément pas cette version, tout en prétendant pour sa part que cette boisson a été inventée en 1896 par un ingénieur des Mines nord-américain qui travaillait dans les mines de cuivre de Daïquiri. Les mines sont aujourd'hui tombées dans l'oubli, mais tout le monde connaît cette boisson délicieuse.

DAÏQUIRI CLASSIQUE
POUR 1 PERSONNE

50 ml de rhum blanc
1 cuillère à café de sirop de canne
40 ml de jus de citron (vert de préférence)
grenadine (facultatif)

Mélangez les ingrédients dans un shaker ou dans le bol mixeur de votre robot. Ajoutez éventuellement de la grenadine pour obtenir un goût plus sucré. Servez sur glace pilée et dans un verre glacé.

DAÏQUIRI FRAISE ET GLACE À LA VANILLE
POUR 2 PERSONNES

Si vous ne trouvez pas de limonade parfum grenadine concentrée surgelée, ajoutez du colorant alimentaire rouge à une limonade concentrée surgelée ordinaire.

100 ml de rhum blanc
175 g de glace pilée
150 g de fraises coupées en tranches
65 ml de limonade parfum grenadine concentrée
(décongelée)
450 ml de glace à la vanille

Mélangez les ingrédients dans un shaker ou dans le bol mixeur de votre robot. Servez dans des verres glacés.

DAÏQUIRI PÊCHE

POUR 4 PERSONNES

225 ml de rhum blanc sec
2 pêches pas trop mûres, pelées, dénoyautées, ou des pêches
en boîte, égouttées et séchées sur du papier absorbant
1 banane moyenne
175 ml de soda citron ou citron vert
1 cuillère à café de miel
1/2 cuillère à café d'essence de vanille
1 pointe de cannelle moulue
175 à 350 g de glace pilée
tranches de pêche pour la décoration (facultatif)

Mélangez le rhum, les pêches, la banane, le soda, le miel, l'essence de vanille et la cannelle dans un shaker ou dans le bol mixeur de votre robot. Ajoutez 75 g de glace et mixez jusqu'à obtention d'un mélange onctueux. Versez dans 4 verres et ajoutez autant de glace que vous voulez. Décorez avec des tranches de pêche.

DAÏQUIRI FRAISE-BANANE

POUR 3 PERSONNES

225 ml de rhum blanc sec
275 g de fraises fraîches, équeutées
1 grosse banane
175 ml de concentré de jus de citron vert surgelé
un peu plus de 2 cuillères à soupe de jus de citron vert frais

Mélangez les ingrédients, dans un shaker ou dans le bol mixeur de votre robot, jusqu'à obtention d'une consistance onctueuse. Ajoutez des glaçons et mixez quelques secondes jusqu'à ce que le mélange devienne fondant. Servez dans des verres glacés.

DAÏQUIRI BANANE PASSIONATA
POUR 3 PERSONNES

75 ml de rhum blanc sec
1 banane mûre
50 ml de jus de fruit de la passion ou de nectar en bouteille
25 ml de concentré de jus d'orange surgelé
500 g de glace pilée
3 rondelles d'orange pour la décoration

Dans un shaker ou dans le bol mixeur de votre robot, mélangez le rhum, la banane, le jus de fruit de la passion ou le nectar, le concentré de jus d'orange et la moitié de la glace. Mixez. Versez dans 3 verres et ajoutez autant de glace que vous voulez. Décorez avec des rondelles d'orange.

COCKTAILS, GROGS ET APÉRITIFS

VICE PRESIDENTE
POUR 1 PERSONNE

C'est l'une des versions du Presidente.

25 ml de rhum blanc sec glacé
25 ml de vermouth glacé
1 goutte de grenadine

Mélangez tous les ingrédients dans un shaker ou dans le bol mixeur de votre robot. Servez dans des verres glacés.

COCKTAIL PRESIDENTE
POUR 1 PERSONNE

Ce cocktail très populaire, servi sur toutes les îles de langue espagnole, tire peut-être son nom du président d'un yacht-club, ces élégants et rafraîchissants havres de paix nichés dans beaucoup de baies des Caraïbes…

40 ml de rhum blanc sec glacé
1 cuillère à café de vermouth sec glacé
1 cuillère à café de jus de citron
ou de citron vert
1 goutte de grenadine
1 goutte de Curaçao

Mélangez tous les ingrédients dans un shaker ou dans le bol mixeur de votre robot. Servez dans des verres glacés.

PORT ROYAL
POUR 1 PERSONNE

On dit que la cloche d'une église sonnait pendant une tempête sur l'océan, au large de Port Royal, et qu'une cloche carillonne chaque fois que quelqu'un boit un de ces cocktails « explosifs ».

40 ml de rhum ambré de la Jamaïque
40 ml de Tia Maria
1 cuillère à café de jus de citron vert

Versez les ingrédients dans un verre glacé, remuez et servez.

MOJITO
POUR 1 PERSONNE

Le terme *mojito* signifie « âme », et s'il existe un cocktail qui a de l'esprit, c'est bien celui-là.

2 glaçons
le jus d'un citron vert
2 gouttes de bitter Angustura
50 ml de rhum blanc sec
1 goutte d'eau minérale
1 feuille de menthe fraîche, pour la décoration

Placez les glaçons dans un grand verre glacé et ajoutez le jus de citron vert, le bitter Angustura, le rhum et l'eau. Remuez, décorez d'une feuille de menthe et servez.

Cocktail de pamplemousse rose.

COCKTAIL DE PAMPLEMOUSSE ROSE

POUR 2 PERSONNES

Le vrai pamplemousse est rarement utilisé dans les cocktails. En voici pourtant un qui prouve qu'il est tout indiqué.

1/2 pamplemousse, pelé et épépiné
225 ml de jus d'orange
50 ml de liqueur à base d'orange
50 ml de rhum blanc (facultatif)

Réduisez le pamplemousse en purée dans un mixer ou un robot ménager. Ajoutez le jus d'orange, la liqueur et le rhum. Servez recouvert de glace pilée dans un verre glacé.

RHUM PARFUM VACANCES

POUR TOUTE UNE ASSEMBLÉE DE CONVIVES

Un succulent cocktail à préparer pour Noël.

910 ml de rhum ambré jamaïcain
4 ou 5 clous de girofle entiers
2 grains de poivre de la Jamaïque
1 ou 2 graines d'anis
1 gousse entière de vanille
1 bâton de cannelle

Mettez toutes les épices dans la bouteille de rhum et conservez-la bien fermée 1 mois avant de consommer. Retournez régulièrement la bouteille afin de bien répartir les épices.

RHUM AU BEURRE CHAUD

POUR 1 PERSONNE

Il s'agit là d'un vieux classique.

1 cuillère à café de sucre roux
1/2 cuillère à café de beurre doux, mou
40 ml de rhum ambré jamaïcain
4 clous de girofle entiers

Utilisez un récipient de 225 ml, résistant à la chaleur. Faites-y fondre le sucre avec quelques gouttes d'eau bouillante. Ajoutez le beurre et remuez vivement à l'aide d'une cuillère. Versez le rhum, ajoutez les clous de girofle. Pour faciliter le nettoyage des ustensiles, laissez la cuillère dans le récipient et remplissez d'eau chaude.

COCKTAIL DU YACHT-CLUB DE LA HAVANE

POUR 1 PERSONNE

50 ml de rhum blanc sec
25 ml de vermouth doux
1 goutte de brandy à l'abricot
zeste d'orange pour décorer

Mélangez tous les ingrédients dans un shaker ou le bol mixeur de votre robot. Servez dans un verre glacé, décorez avec le zeste d'orange.

Cocktail du yacht-club de La Havane.

PIÑA COLADA
POUR 1 PERSONNE

Ce cocktail, connu dans le monde entier, fut créé à Porto Rico.

25 g de crème de noix de coco
50 ml de jus d'ananas sans sucre
25 ml de crème épaisse
50 ml de rhum ambré ou blanc
175 g de glace pilée

Mélangez la crème de noix de coco, le jus d'ananas, la crème fraîche et la moitié de la glace dans un shaker, ou dans le bol mixeur de votre robot. Servez aussitôt dans un verre glacé et recouvrez du reste de glace pilée.

COLADA BANANE
POUR 1 PERSONNE

25 g de crème de noix de coco
la moitié d'une banane mûre
50 ml de rhum blanc ou ambré
175 g de glace pilée

Mélangez la crème de noix de coco, la banane, le rhum et la moitié de la glace pilée dans un shaker ou dans le bol mixeur de votre robot. Servez immédiatement dans un verre glacé en recouvrant du reste de glace pilée.

COLADA FRAISE
POUR 1 PERSONNE

25 g de crème de noix de coco
6 fraises décongelées ou fraîches, équeutées
50 ml de rhum blanc ou ambré
175 g de glace pilée

Mélangez la crème de noix de coco, les fruits, le rhum et la moitié de la glace pilée dans un shaker ou dans le bol mixeur de votre robot. Servez dans un verre glacé, en recouvrant du reste de glace pilée.

PUNCH PLANTEUR
POUR 1 PERSONNE

Imaginez-vous sous une véranda entourée de bougainvilliers et dégustez ce classique !

2 cuillères à café de sucre
25 ml de jus de citron ou de citron vert
25 ml de jus d'orange
40 ml de rhum blanc de votre choix
40 ml de rhum ambré de votre choix
1 goutte de grenadine (facultatif)
1 tranche d'ananas pour décorer

Dans un shaker faites fondre le sucre avec le jus de citron ou de citron vert et le jus d'orange. Ajoutez le rhum, la grenadine si vous le désirez ; remplissez le shaker de glace pilée et agitez. Versez dans un grand verre (300 ml) avec de la glace pilée. Décorez d'une tranche d'ananas, d'une cerise, ou d'une rondelle de citron ou de citron vert, d'une moitié de rondelle d'orange ou d'une feuille de menthe. Servez avec une paille.

PIÑA FIZZ
POUR 8 PERSONNES

Cette boisson peut être servie avec ou sans alcool. Préparez les deux versions pour votre prochaine réception. Décorez celle contenant le rhum d'une tranche d'orange ; ainsi, vous et vos invités pourrez les différencier.

225 ml de jus d'orange
225 ml de jus de mangue
450 ml de jus d'ananas
450 ml de sorbet à l'orange
1 cuillère à soupe de grenadine
225 ml d'eau de Seltz
100 ml de rhum blanc sec (facultatif)
1/2 cuillère à café
de bitter Angustura (facultatif)

Mélangez les jus, le sorbet et la grenadine dans un mixer, ou dans le bol mixeur de votre robot, jusqu'à obtention d'une consistance onctueuse. Ajoutez l'eau de Seltz, et éventuellement le rhum et le bitter Angustura ; servez dans des verres glacés.

DOUCEUR DES FRUITS CARAÏBES
POUR 4 PERSONNES

450 ml de jus d'orange non sucré
15 g de sucre glace
2 cuillères à soupe de jus de citron vert frais
275 g de fraises, framboises, pêches, nectarines, bananes,
mangues, papayes et goyaves fraîches, en tranches
3 cuillères à soupe supplémentaires de fruits sans sucre
ajouté (fraise, pêche, marmelade d'orange, par exemple)
1 cuillère à café d'essence de vanille
4 rondelles de citron vert, d'orange
ou des feuilles de menthe (facultatif)

Mélangez le jus d'orange, le sucre glace, le jus de citron vert et versez dans un moule carré de 20 cm. Mettez à durcir dans le freezer de votre réfrigérateur. Cassez ce mélange de jus gelé en gros morceaux auxquels vous ajouterez les fruits, le jus de fruit et l'essence de vanille. Mixez jusqu'à obtention d'une consistance onctueuse. Versez dans des verres et servez immédiatement ; décorez, selon votre goût, avec des rondelles de citron vert, d'orange ou des feuilles de menthe.

Cocktail papaye-citron.

COCKTAIL PAPAYE-CITRON
POUR 4 PERSONNES

Une papaye (d'environ 450 g) épluchée, épépinée
et coupée en tranches
100 ml de jus de citron vert frais
450 ml de sorbet au citron ou au citron vert
175 g de glaçons
rondelles de citron pour décorer

Mélangez la papaye, le jus de citron vert, le sorbet et les glaçons dans le bol mixeur de votre robot et mixez jusqu'à obtention d'une consistance onctueuse. Versez dans des verres glacés et décorez avec des rondelles de citron vert.

DOUCEUR PÊCHE-MANGUE
POUR 4 PERSONNES

600 ml d'un mélange jus d'orange/jus de mangue
1 banane moyenne mûre, coupée en morceaux
60 g de pêches ou de nectarines fraîches, pelées
et coupées en tranches
15 g de sucre
1 cuillère à café d'essence de vanille ou d'amande

Faites congeler le jus dans un moule carré de 20 cm. Cassez le jus glacé en morceaux et ajoutez le reste des ingrédients. Broyez dans le bol mixeur de votre robot jusqu'à obtention d'une consistance onctueuse. Servez immédiatement.

MILK-SHAKES AUX FRUITS (BATIDOS AUX FRUITS)

Les insulaires de langue espagnole les appellent des milk-shakes glacés aux fruits et au lait – ou *beatens* (battus). Le fruit tropical est souvent si riche et crémeux que le préparer avec du lait semble bien inutile. Vous pouvez utiliser des fruits en conserve, mais égouttez-les et, dans ce cas, ne rajoutez pas de sucre à ces recettes.

BATIDO MAISON
POUR 1 PERSONNE

75 g de glace pilée
1 papaye, mangue, banane, goyave ou sapote moyennes,
pelées et coupées en morceaux d'environ 150 g
100 g de lait froid
100 g de crème glacée à la vanille, légèrement fondue
25 g de sucre

Mélangez tous les ingrédients dans le bol mixeur de votre robot jusqu'à obtention d'une consistance onctueuse ; servez dans des verres givrés.

PIÑA BATIDO
POUR 2 PERSONNES

450 ml de lait
225 ml de jus d'ananas sans sucre, frais
50 g de glace pilée
40 g de sucre
2 cuillères à soupe de jus d'orange
1 cuillère à café de jus de citron

Mélangez tous les ingrédients dans le bol mixeur de votre robot jusqu'à obtention d'une consistance onctueuse ; servez dans des verres givrés.

BATIDO AUX FRUITS DE LA PASSION
POUR 2 PERSONNES

450 ml de lait
225 ml de nectar aux fruits de la passion, glacé
50 g de glace pilée
sucre à volonté
2 cuillères à soupe de jus d'orange
1 cuillère à café de jus de citron

Mélangez tous les ingrédients dans le bol mixeur de votre robot jusqu'à obtention d'une consistance onctueuse ; servez dans des verres givrés.

MILK-SHAKE CHOCO-COCO-NANA
POUR 4 PERSONNES

450 ml de lait demi-écrémé
2 bananes moyennes, coupées en tranches
50 ml de sirop parfum chocolat
1 cuillère à soupe de sucre glace
1/4 de cuillère à café d'extrait de noix de coco artificiel

Mettez le lait au freezer, dans un moule de 20 cm. Laissez reposer 5 minutes et cassez en gros morceaux. Placez-les, ainsi que le reste des ingrédients, dans le bol mixeur de votre robot ; broyez jusqu'à obtention d'une consistance onctueuse. Servez immédiatement.

AMUSE-GUEULES, SANDWICHES ET CANAPÉS

PETITES BROCHETTES DE CREVETTES
AU LAMPRIS FUMÉ ET À L'ANETH
POUR 4 À 6 PERSONNES

Ce hors-d'œuvre raffiné ne déparerait pas la carte des meilleurs restaurants caraïbes. Vous pouvez remplacer le lampris des Caraïbes par n'importe quel poisson fumé, coupé en tranches fines. Assurez-vous seulement qu'il ne reste ni arêtes ni peau. Achetez de préférence des crevettes bien dodues et décorez le plat de service avec de l'aneth et des tomates cerises.

2 cuillères à soupe de jus de citron vert
ou de citron
1/2 cuillère à café de sel
1 cuillère à soupe de coriandre fraîche hachée
65 ml d'huile d'olive
1 cuillère à soupe d'aneth frais haché
poivre blanc moulu

24 crevettes roses décortiquées
100 g de lampris fumé

Pour la décoration
brins d'aneth frais
tomates cerises

Mélangez le jus de citron, le sel, la coriandre, l'huile d'olive, le fenouil et le poivre dans un saladier en verre. Ajoutez les crevettes, couvrez et laissez mariner pendant 2 heures. Coupez les tranches de poisson fumé en bandes de 1 cm de large. Enroulez une bande de poisson autour de chaque crevette et fixez-la avec une pique à cocktail. Disposez les crevettes ainsi parées dans un plat que vous décorez avec des brins de fenouil et des tomates cerises.

CHAUSSONS À LA VIANDE ÉPICÉS
POUR 8 À 10, OU POUR 16 À 20 PERSONNES SUIVANT LA TAILLE DES CHAUSSONS

Ces chaussons de viande, très populaires aux Caraïbes, sont élaborés de diverses façons et personnalisés suivant l'inspiration des chefs cuisiniers – d'un point à l'autre de la Jamaïque en passant par New York, Brixton ou Londres. J'utilise une pâte à base de fromage blanc pour lui donner plus de finesse ; mais votre recette maison fera tout aussi bien l'affaire. Quand ils sont de petite taille, ces chaussons permettent de réaliser des amuse-gueules originaux. Et si il vous en reste, n'hésitez pas à les congeler.

Pâte
100 g de farine complète
1 pincée de sel
100 g de beurre doux
125 g de fromage blanc

Farce
1 cuillère à soupe d'huile végétale
750 g de bœuf maigre, émincé
1 oignon moyen, finement haché
3 gousses d'ail, émincées
1 cuillère à soupe de piment de la Jamaïque, épépiné et émincé
3 oignons verts, hachés
1 cuillère à soupe de curry en poudre
1/2 cuillère à café de cumin moulu

1 cuillère à soupe de thym moulu
40 g de chapelure fine
10 cl de bouillon de bœuf ou de volaille
2 cuillères à soupe de coriandre fraîche finement hachée
sel et poivre noir fraîchement moulu

Tamisez la farine, salez, incorporez le beurre et le fromage blanc et malaxez ; vous pouvez aussi mélanger les ingrédients dans le bol mixeur d'un robot jusqu'à obtention d'une pâte sablée. Laissez reposer une journée au réfrigérateur.

Le lendemain, préchauffez votre four à 230 °C, th. 8 pendant que vous préparez la farce. Dans une poêle à frire moyenne, faites chauffer l'huile à feu doux. Ajoutez le bœuf émincé, l'oignon, l'ail, le piment et l'oignon vert. Faites frire, en remuant sans arrêt, jusqu'à ce que la viande dore. Ajoutez le curry, le cumin, le thym, la chapelure, le bouillon, la coriandre ; salez et poivrez à volonté. Laissez frémir 20 minutes, en remuant souvent. Jetez la graisse de cuisson et laissez refroidir.

Pendant que la farce refroidit, abaissez la pâte en une couche de 5 mm d'épaisseur. À l'aide d'un emporte-pièce découpez des cercles de 7,5 cm de diamètre. Placez-les sur la plaque du four huilée. Déposez une cuillère à soupe du mélange de viande au centre de chaque cercle. Humidifiez chaque contour, repliez la pâte et piquez les chaussons ainsi obtenus avec une fourchette. Laissez cuire au four jusqu'à ce qu'ils dorent, 20 minutes environ.

ROTIS DE POULET AU CURRY
POUR 4 À 6 PERSONNES

Ce sont les cousins insulaires des *parathas* (galettes indiennes) et des *burritos* mexicains. Ces *rotis* – qui signifient simplement pains – sont extrêmement populaires à Trinidad, Grenade, Sainte-Lucie et sur bien d'autres îles. Vous pouvez les servir sous forme de galettes accompagnées de n'importe quel mélange à base de curry, ou remplis de farce comme celle des chaussons de viande épicée (page 31) ou celle des beignets à la morue « Tamponné c'est emporté » (page 34).

Pâte des galettes

450 g de farine complète
2 cuillères à café de sel
200 ml de lait écrémé
25 à 40 g de beurre ou beurre clarifié (page 17)
huile végétale (pour frire les galettes et pour la farce)

Farce

450 g de poulet sans la peau et désossé,
coupé en cubes d'environ 4 cm
1 oignon moyen finement haché
1/2 cuillère à café d'ail émincé
1 goutte de sauce au piment (page 96)
1/2 cuillère à café de sel
1 cuillère à soupe de curry en poudre
1 pointe de gingembre moulu
1 pointe de cumin en poudre
1/4 cuillère à soupe de poivre noir fraîchement moulu
50 ml de vin blanc sec
2 pommes à cuire, épépinées, hachées, précuites
et exprimées de leur jus (facultatif)

Pour confectionner les galettes, tamisez la farine au-dessus d'un petit récipient et salez. Versez petit à petit le lait écrémé. (Si la pâte est trop sèche, ajoutez un petit peu plus de lait, juste une goutte à chaque fois). Pétrissez pendant 5 minutes, jusqu'à ce que la pâte ne fasse plus de grumeaux. Mettez au réfrigérateur dans un récipient hermétiquement fermé toute une nuit.

Le lendemain, divisez la pâte en deux et abaissez chaque moitié en une couche de 8 mm d'épaisseur. Coupez dans chaque cercle de pâte des petits ronds de 15 à 20 cm de diamètre (pour cette opération aidez-vous par exemple d'un bol à déjeuner). Étirez chaque forme découpée, pour pouvoir ensuite la replier, en pressant de part et d'autre du rond de pâte avec la paume de la main. Au total vous devriez obtenir huit cercles. S'il vous reste de la pâte, gardez-la pour confectionner d'autres galettes. Badigeonnez chaque cercle avec du beurre ou du beurre clarifié, et repliez la pâte. Avec les doigts, enduisez généreusement de beurre ou de beurre clarifié le dessus des demi-cercles, sur toute leur surface ; repliez-les encore deux fois, sans oublier à chaque fois le badigeon sur les deux faces de la pâte. Réservez et couvrez.

Mélangez le poulet, l'oignon, l'ail, la sauce au piment, le sel, le curry en poudre, le gingembre, le cumin, le poivre et le vin dans un saladier ; laissez mariner 2 heures, en remuant de temps en temps. Égouttez. Versez l'huile dans une casserole ; faites chauffer à feu moyen. Ajoutez le poulet et faites cuire, en remuant sans arrêt, pendant 5 minutes ; baissez ensuite le feu et laissez cuire à feu doux pendant 5 minutes, jusqu'à ce que la chair du poulet s'attendrisse. Ajoutez éventuellement les pommes et gardez au chaud.

Déroulez les cercles de pâte. Mettez un fond d'huile dans une poêle à frire et faites chauffer suffisamment (une goutte d'eau tombée dans l'huile doit la faire crépiter). Placez deux galettes en même temps dans la poêle et faites-les frire des deux côtés, environ 2 minutes, jusqu'à ce qu'elles dorent légèrement. Sortez-les et enveloppez-les dans un torchon propre ou posez-les sur une plaque chauffante pour les garder chaudes. Maintenez l'huile à haute température et répétez l'opération ; rajoutez un peu d'huile si nécessaire.

Quand la dernière galette est cuite, mettez deux cuillères à soupe de farce au poulet dans chacune d'entre elles, repliez et servez. Une fois terminés, si les *rotis* sont froids, faites-les légèrement frire dans un peu d'huile chaude ou faites-les réchauffer dans un four à micro-ondes, en les enveloppant un à un dans une serviette en papier légèrement humide. Réchauffez les galettes achetées toutes prêtes selon les instructions du fabricant.

PAINS PITAS AUX CREVETTES FAÇON CARAÏBES

POUR 4 À 6 PERSONNES

Pour cette recette on fait mariner les crevettes dans une vinaigrette épicée qui leur donne tout leur piquant. Vous pouvez les laisser mariner toute la nuit, ce qui vous permettra de gagner du temps le jour de votre réception. Vous n'aurez plus alors qu'à tartiner vos pains pitas !

50 ml de vinaigre de cidre
65 ml d'huile végétale
8 g de sucre
1 cuillère à café de sauce Worcestershire
1 goutte de sauce au piment (page 96)
1/2 cuillère à café de moutarde en poudre
1 cuillère à café de racine de gingembre frais,
pelée et émincée
sel et poivre noir fraîchement moulu
225 g de crevettes cuites, décortiquées
1/4 de poivron rouge doux, finement coupé
1/4 de poivron jaune doux, finement coupé
1/4 de poivron vert doux, finement coupé

1 cuillère à soupe de coriandre fraîche finement hachée
piment rouge pilé (facultatif)
4 gros pains pitas ou 8 petits, coupés en 12 quartiers
et légèrement grillés
brin de coriandre pour décorer

Dans une casserole, fouettez le mélange vinaigre, huile, sucre, sauce Worcestershire, sauce au piment, moutarde, gingembre ; salez et poivrez à volonté. Portez à ébullition et faites cuire 5 minutes à feu doux, en remuant de temps en temps. Ajoutez les crevettes ; laissez cuire 3 à 5 minutes, en remuant souvent, jusqu'à ce qu'elles soient tendres. Transférez dans un récipient résistant à la chaleur et ajoutez les poivrons ; mélangez énergiquement. Laissez refroidir, à couvert, 2 heures ou toute une nuit.

Exprimez l'eau de votre mélange et incorporez la coriandre, le piment rouge pilé, si vous en utilisez, salez et poivrez à volonté. Disposez les crevettes et quelques lamelles de poivron sur chaque toast ; décorez de brins de coriandre.

BEIGNETS DE MORUE «TAMPONNÉ C'EST EMPORTÉ»

Autrefois vendus en Jamaïque, dans d'humbles cabanes sur la plage, ces beignets de morue étaient enveloppés dans du papier et tamponnés de la mention «payé» – d'où leur nom, «Tamponné c'est emporté». Les insulaires de langue espagnole appellent *bacalao* la morue salée et mangent à peu de chose près les mêmes beignets de morue. On salait autrefois la morue par nécessité, la réfrigération n'existant pas; mais de nos jours, la tradition se perpétue.

225 g de filets de morue salée
100 g de farine complète
1 cuillère à café de levure alsacienne
1 pincée de sel
1 œuf, légèrement battu
175 ml de lait
15 g de beurre doux, mou
2 oignons moyens, hachés
1/2 cuillère à café de piment haché

ou une pointe de piment rouge en poudre
huile végétale pour la friture

Rincez la morue sous l'eau froide, 2 à 3 minutes, et laissez-la dessaler dans un saladier plein d'eau, toute une nuit. Essorez, rincez et plongez-la dans une casserole d'eau bouillante. Faites mijoter 20 minutes à feu doux, à couvert. Sortez la morue, exprimez l'eau, retirez les arêtes et la peau; décortiquez délicatement le poisson avec les doigts, en faisant bien attention aux petites arêtes.

Tamisez en même temps la farine, la levure et le sel au-dessus d'un récipient. Mélangez l'œuf, le lait, le beurre et versez dans le récipient. Ajoutez la morue, l'oignon et le poivre et malaxez bien. Mettez l'huile dans une casserole à fond épais et faites chauffer à 190 °C; déposez le mélange à base de poisson, une pleine cuillère à café à chaque fois. Faites frire jusqu'à ce que les beignets soient bien dorés. Dégraissez sur du papier absorbant; servez très chaud.

BEIGNETS DE LAMBI AUX PIMENTS *SCOTCH BONNET*
ET LEURS DEUX SAUCES FRAÎCHES
POUR 4 À 6 PERSONNES

450 g de lambis, praires ou calmars
3 branches de céleri, finement hachées
1 oignon émincé
100 g de beurre doux
1 cuillère à café de piment émincé
1 pincée de thym
1 pincée de basilic
1 pincée d'origan
1 pincée de sel
1 pincée de poivre noir fraîchement moulu
1 pincée de levure alsacienne
4 œufs
175 g de farine
1 goutte de lait
huile végétale pour bain de friture

Sauce au citron vert
300 ml de crème fraîche
75 ml de mayonnaise
le jus de 2 citrons verts

Sauce avocat-cresson
1 petit avocat mûr, pelé et dénoyauté

1/2 cuillère à soupe de lait
1/2 cuillère à soupe de jus de citron
1 pincée de sel
25 g de cresson, dont on aura ôté les tiges coriaces

Mixez la chair du lambi avec un hachoir électrique ou au robot ménager. Faites revenir, 3 minutes environ, le céleri et l'oignon dans du beurre. Ajoutez le piment, les herbes, le sel, le poivre et remuez pour mélanger intimement tous les ingrédients. Versez cette préparation dans un grand saladier avec la chair du lambi, la levure, les œufs, la farine et le lait. Remuez énergiquement jusqu'à obtention d'une consistance épaisse mais fluide, et mettez au frais.

Pendant que la pâte à beignets refroidit, préparez les sauces; mixez tous les ingrédients au hachoir électrique ou dans le bol mixeur de votre robot, à vitesse moyenne. Mettez les sauces au réfrigérateur, laissez-les 30 minutes.

Quand la pâte à beignets est suffisamment fraîche, faites chauffer l'huile pour la friture (180 °C). Utilisez une grande louche ovale et formez des boulettes de 2, 5 cm que vous jetterez dans l'huile bouillante. Laissez cuire 4 à 6 minutes. Dégraissez sur du papier absorbant et servez accompagné des sauces.

CANAPÉS AU FROMAGE BLANC ET AU CURRY

POUR 4 À 6 PERSONNES

Faciles à réaliser, ces canapés vous laissent libre d'imaginer toute une variété de garnitures. Vous pouvez les tartiner de toutes sortes de délices : ciboulette hachée, noix émondées, amandes grillées effilées, ciboule émincée, cresson, raisins, lamelles de noix de coco grillées ou d'une cuillerée de chutneys à base de fruits, d'un morceau de mangue ou de papaye fraîche. À vous de leur trouver un nom.

4 pots de 225 g de fromage blanc, léger
2 cuillères à soupe de confiture d'orange
1 cuillère à café de curry en poudre
8 fines tranches de pain de mie

Mixez le fromage blanc dans le bol de votre robot, à vitesse moyenne, jusqu'à obtention d'un mélange mousseux. Incorporez la confiture et le curry en poudre. À l'aide d'un emporte-pièce, découpez dans chaque tranche de pain des cercles de 5 cm environ. Déposez une cuillère et demie du mélange sur chaque canapé. Décorez selon votre goût.

CREVETTES GRILLÉES SUR CANAPÉS
ET LEUR MAYONNAISE AU GINGEMBRE
POUR 4 À 6 PERSONNES

La variété des consistances, des couleurs, tout comme le parfum du gingembre associé aux crevettes en font les canapés favoris des grandes occasions. Relativement légers, ils accompagnent très bien cocktails ou apéritifs avant un dîner.

750 g de crevettes cuites
farine complète assaisonnée de sel et de poivre de cayenne
huile végétale pour la friture
2 cuillères à soupe de racine de gingembre, pelée et émincée
150 ml de mayonnaise
3 cuillères à soupe de moutarde
4 tranches de pain de seigle, découpées en cercles de 5 cm,
et légèrement dorées
10 radis coupés en tranches fines
50 g de pousses de soja
cresson ou coriandre pour la décoration
2 cuillères à café de jus de citron frais

Roulez les crevettes dans la farine assaisonnée jusqu'à ce qu'elles soient bien enrobées. Tamisez-les pour les débarrasser de l'excès de farine.

Faites chauffer 2,5 cm d'huile à feu moyen jusqu'à ce qu'elle atteigne 190 °C et faites frire les crevettes par fournées, en remuant de temps en temps, durant une minute, jusqu'à ce qu'elles deviennent tendres. Sortez-les et posez-les sur du papier absorbant pour les sécher.

Dans un petit saladier, mélangez bien la racine de gingembre émincée, la mayonnaise et la moutarde ; déposez une cuillère à soupe de cette préparation sur chaque canapé. Disposez sur les canapés une rondelle de radis, quelques pousses de soja et une crevette.

Placez tous les canapés sur un plat de service et décorez avec le cresson ou la coriandre. Versez le jus de citron dans le reste de mayonnaise et assaisonnez les canapés de cette préparation.

TIMBALE DE POISSON FUMÉ

POUR 6 À 8 PERSONNES

Pour cette recette relevée de timbale de poisson vous pouvez utiliser n'importe quel poisson fumé. Servez avec un assortiment de petits biscuits.

450 g de marlin fumé
100 g de condiments au vinaigre doux
50 ml de sauce au raifort toute prête
1 petit oignon haché
1 branche de céleri, épluchée et finement hachée
1/2 cuillère à café de jus de citron vert
1 cuillère à café de sauce au piment (page 96)

75 ml de mayonnaise
sel et poivre noir fraîchement moulu

Hachez grossièrement le poisson et mettez-le dans un mortier. Ajoutez tous les condiments, le raifort, l'oignon, le céleri et le jus de citron vert; mélangez bien. Incorporez la moitié de la sauce au piment et de la mayonnaise. Mélangez le tout et goûtez. Mettez un peu plus de sauce au piment si vous le désirez. Rajoutez le reste de mayonnaise et mélangez jusqu'à obtention de la consistance et de la saveur recherchées.

SALADES

SALADE CRÉOLE D'ÉPINARDS

POUR 4 PERSONNES

Cette salade rafraîchissante accompagne agréablement n'importe quel plat principal, même les plus classiques comme le rosbif. Décorez-la avec des quartiers de tomate et de fines rondelles de concombre.

450 g d'épinards frais, nettoyés et équeutés
1 oignon rouge émincé
croûtons
2 cuillères à soupe de noix de pecan grillées, hachées
50 ml de yaourt nature
50 ml de moutarde
30 ml de jus de citron vert ou de citron
30 ml de vinaigre balsamique
1 cuillère à café d'épices au choix (page 92)

sauce pimentée (page 96)
poivre blanc du moulin
50 ml de bouillon de poulet

Pour la décoration
quartiers de tomate
rondelles de concombre

Mettez dans un grand saladier les épinards, l'oignon rouge, les croûtons et la noix de pecan. Mélangez dans le bol mixeur de votre robot le yaourt, la moutarde, le jus de citron, le vinaigre, les épices, la sauce et le poivre (agitez 1 minute environ). Sans arrêter le mixeur, ajoutez doucement le bouillon. Versez le mélange sur la salade et mélangez.

SALADE TROPICALE DE CREVETTES ET DE HOMARD
POUR 4 PERSONNES

Présentez ce vrai délice avec des croissants de mangue émincée, comme cela se fait dans la plupart des restaurants de luxe des Caraïbes. Accompagnez d'un daïquiri au fruit, glacé et coloré ; vous pourrez presque alors sentir la caresse des alizés et percevoir les rythmes des steel-bands.

450 g de crevettes cuites, décortiquées
2 homards cuits de 150 g, décongelés, égouttés
et coupés en tronçons de 1,5 cm
1 mangue fraîche, coupée en dés
1 poivron vert doux, émincé
la moitié d'un oignon, émincé
100 g de céleri finement haché
225 g d'ananas, coupé en dés
100 ml de yaourt au lait entier
100 ml de crème fraîche

100 ml de jus d'orange frais
4 cuillères à café de jus de citron vert frais
2 cuillères à café de racine de gingembre râpée

Pour la décoration
feuilles de laitue (facultatif)
tranches de mangue émincée en croissants

Mélangez les crevettes, le homard, la mangue, le poivron vert, l'oignon, le céleri et l'ananas dans un saladier et mettez au réfrigérateur, couvert. Dans un petit bol, fouettez le yaourt avec la crème aigre, le jus d'orange, le jus de citron vert et le gingembre. Dans le plat de service, dressez le mélange de crevettes glacées, de fruits et de légumes – sur un lit de feuilles de laitue, si vous le souhaitez. Versez l'assaisonnement sur la salade et servez décoré d'un croissant de mangue émincée.

RIZ SAUVAGE AU CURRY ET SALADE DE POULET AUX ÉPICES

Les principaux composants de ce plat, à la saveur corsée, peuvent être préparés à l'avance et mélangés au dernier moment avec des raisins de Smyrne, des oignons verts et des noix.

4 blancs de poulet froids aux épices
(préparés selon les recettes du chapitre Grillades
épicées) et coupés en petits morceaux.
1 bouquet d'oignons verts, hachés (avec la partie verte)
150 g de raisins de Smyrne
50 g d'amandes effilées
feuilles de laitue pour la décoration (facultatif)

Assaisonnement
2 gousses d'ail hachées
3 cuillères à soupe de vinaigre de vin blanc
4 cuillères à soupe de jus de citron vert frais
1 cuillère et demie à soupe de curry en poudre
3 cuillères à soupe de condiments à la mangue
sel et poivre noir fraîchement moulu
150 ml d'huile d'olive
175 ml de crème aigre
3 cuillères à soupe d'eau
2 cuillères à soupe de coriandre finement hachée

Préparation du riz
750 g de riz sauvage, cuit suivant les instructions
figurant sur le paquet
1 cuillère à soupe de vinaigre de vin blanc
2 cuillères à soupe d'huile d'olive
sel et poivre noir fraîchement moulu

Préparez d'abord l'assaisonnement. Dans un mixer ou un robot ménager, mélangez l'ail, le vinaigre, le jus de citron vert, le curry en poudre et les condiments jusqu'à obtention d'une consistance onctueuse. Salez et poivrez à volonté. Sans arrêter le moteur, versez l'huile en filet, puis la crème aigre et l'eau. Ajoutez un peu plus d'eau si nécessaire pour obtenir la consistance désirée. Transférez l'assaisonnement dans un petit bol ; versez-y la coriandre. Couvrez et mettez au réfrigérateur.

Mettez le riz cuit dans un saladier, ajoutez le vinaigre, l'huile, le sel et le poivre ; remuez énergiquement. Couvrez et placez au réfrigérateur.

Juste avant de servir, mélangez le riz, le poulet et l'assaisonnement. Incorporez les oignons verts, les raisins et les amandes effilées ; servez, si vous le souhaitez, sur un lit de feuilles de laitue.

SALADE DE THON AU CURRY
ET AU FRUIT TROPICAL

POUR 4 À 6 PERSONNES

2 boîtes de 190 g de thon en saumure, égoutté et nettoyé

200 g de mangue ou de papaye, égouttée et coupée en dés

175 g de céleri haché

50 g de graines de papaye, pilées à la taille d'un grain

de poivre (facultatif)

100 g de carottes râpées

25 g d'oignon vert haché

25 g d'oignon rouge haché

175 ml de mayonnaise

1/2 cuillère à café de curry en poudre

feuilles de laitue

Mélangez le thon, la mangue ou ia papaye, le céleri, éventuellement les graines de papaye, la moitié des carottes râpées, l'oignon vert et l'oignon rouge dans un saladier.

Dans un petit bol mélangez la mayonnaise et le curry et versez sur le thon ; remuez doucement. Couvrez et mettez au frais. Déposez la préparation au centre de votre plat de service, entourée de feuilles de laitue. Décorez avec le reste des carottes râpées.

SALADE DE CHÂTAIGNES D'EAU (OU DE JICAMA), D'ORANGES ET D'OIGNONS GRILLÉS ET SA VINAIGRETTE AU RHUM

POUR 4 PERSONNES

Ce plat est une symphonie de parfums et de substances, dont l'oignon d'Espagne est la vedette.

450 g de châtaignes d'eau ou de jicama, épluchées, coupées
en quartiers et en tranches de 1, 5 cm
2 oranges épluchées et séparées en quartiers,
débarrassées de leur peau blanche
225 g d'oignons d'Espagne
4 cuillères à soupe d'huile d'olive
1 cuillère à soupe de jus de citron
1 cuillère à soupe de rhum blanc
1 cuillère à café d'oignon vert
1 cuillère à café de persil haché
1 pointe de moutarde en poudre
1 soupçon de sauce Worcestershire
sel et poivre noir fraîchement moulu
croûtons épicés grillés (page 92) (facultatif)

Mélangez les châtaignes et l'orange dans un saladier et réservez. Préchauffez le gril. Coupez l'oignon en tranches épaisses de 8 mm, en veillant à ne pas les casser. Enduisez-les d'huile d'olive et disposez-les sur un gril ou sur la plaque du four. Salez et laissez griller 5 à 8 minutes jusqu'à ce que la chair commence à dorer. Retournez les tranches d'oignon et laissez griller 5 minutes de plus jusqu'à ce qu'elles soient légèrement brûlées sur le dessus. Séparez-les en bracelets et rajoutez-les au mélange de châtaignes et d'orange.

Fouettez le reste d'huile d'olive avec le jus de citron, le rhum, l'oignon vert, le persil, la moutarde et la sauce Worcestershire. Salez et poivrez. Versez sur la salade et servez.

SALADE DE PÂTES ET DE POIS YEUX-NOIRS
AU ZESTE D'ORANGE
POUR 4 PERSONNES

Les saveurs de cette salade accompagnent à merveille tous les plats épicés ; une recette que l'on peut préparer un jour à l'avance.

Assaisonnement
50 ml d'huile d'olive
2 cuillères à soupe de vinaigre d'estragon,
de malt ou balsamique
1 cuillère à soupe de moutarde de Dijon
3/4 de cuillère à café d'ail haché
1 pointe de cumin moulu
1/2 cuillère à café de sucre
1/2 cuillère à café de sel
1/2 écorce d'orange finement râpée
1 goutte de sauce au piment (page 96)

225 g de macaroni, torsades ou tortellini, cuits al dente *et rincés immédiatement à l'eau froide*

425 g de pois yeux-noirs en conserve, rincés et égouttés
1 tomate moyenne, épépinée et coupée en dés
100 g d'olives noires ou vertes, émincées (facultatif)
75 g de poivron rouge doux, haché
75 g de poivron vert doux, haché
150 g de châtaignes d'eau ou de jicama, coupées en dés
2 gros oignons verts, émincés
15 g de coriandre fraîche, hachée

Dans le bol mixeur de votre robot, ou dans un saladier, mélangez l'huile, le vinaigre, la moutarde, l'ail, le cumin, le sucre, le sel, l'écorce d'orange râpée et la sauce au piment. Mixez jusqu'à obtention d'une consistance onctueuse.

Dans un grand plat de service, disposez les pâtes, les pois yeux-noirs, la tomate, les olives, les poivrons, les châtaignes ou le jicama, l'oignon vert et la coriandre. Versez l'assaisonnement, remuez pour bien mélanger. Couvrez et mettez au frais.

TOMATES FARCIES AU CRABE
POUR 2 PERSONNES

Pour cette recette, utilisez si possible une sauce au piment faite maison (lire la partie Grillades épicées), ou une très bonne sauce caribéenne toute prête. La touche de feu du piment donne à ce plat une saveur exotique très particulière.

450 g de chair de crabe, décongelée et bien égouttée
75 g de concombre, épépiné et émincé
2 grosses tomates mûres, épépinées et hachées
2 œufs durs écrasés
150 ml de mayonnaise
4 cuillères à soupe de sauce au piment (page 96)
2 cuillères à soupe de crème fraîche
2 cuillères à soupe de jus de citron vert
1 cuillère à soupe de ciboulette émincée
sel et poivre noir fraîchement moulu
2 grosses tomates coupées en deux
1 laitue, lavée et égouttée

Dans un saladier, mélangez le crabe, les tomates hachées, le concombre et les œufs ; mettez au frais. Dans un autre récipient, mélangez la mayonnaise, la sauce au piment, la crème fraîche, le jus de citron vert, la ciboulette et le poivre ; mettez au frais.

En prenant garde à ne pas sectionner la base, videz les tomates entières et fendez-les en six morceaux de façon à former une tulipe. Disposez une rangée de feuilles de laitue sur 2 assiettes, déposez les tomates au centre et recouvrez-les d'un petit dôme de préparation au crabe. Servez cette salade, sauce à part.

SALADE DE JARRET
ET DE HARICOTS NOIRS ÉPICÉS
POUR 4 PERSONNES

Cette recette sera meilleure si vous la préparez vous-même de A à Z ; mais si vous êtes pressé(e), voici une version qui ne demande aucune cuisson préalable : utilisez tout simplement deux boîtes de 450 g de haricots, égouttés et rincés, auxquels vous mélangez des épices en poudre et du porc, ou du jambon précuit, émincé. Faites une vinaigrette comme indiqué ci-dessous.

225 g de haricots noirs
2 gros morceaux de jarret
1 grande feuille de laurier
1 cuillère à café de graines de coriandre, écrasées
1 cuillère à café de graines de cumin, pilées
1 cuillère à café de piment rouge pilé
1 pointe de cannelle moulue
50 ml de jus de citron vert
1 cuillère à soupe de vinaigre au cherry
1 cuillère à café de cumin moulu
1 cuillère à soupe d'huile d'olive
1 cuillère à soupe de sauce au piment (page 96)
1 gousse d'ail, écrasée
2 cuillères à soupe de poivron rouge doux, émincé
2 cuillères à soupe d'oignon vert émincé
sel et poivre noir fraîchement moulu
25 g de coriandre fraîche,
sans les tiges, rincée et séchée

Faites tremper les haricots suivant les instructions figurant sur la boîte. Mettez-les dans une grande casserole. Ajoutez le jarret, la feuille de laurier, les graines de coriandre, le cumin, le piment rouge et la cannelle. Recouvrez d'eau fraîche. Faites doucement frémir à feu moyen jusqu'à ce que les haricots soient tendres, environ 45 minutes. Sortez le jarret et laissez refroidir. Retirez la feuille de laurier et mettez-la de côté. Égouttez les haricots et rincez-les à l'eau froide jusqu'à ce qu'ils refroidissent. Réservez.

Mélangez le jus de citron vert et le vinaigre de cherry dans un bol inoxydable. Incorporez le cumin, l'huile d'olive, la sauce au piment et l'ail. Rajoutez le poivron rouge et l'oignon vert. Salez et poivrez à volonté. Réservez.

Détachez le jambon du jarret, en retirant l'os et le gras. Émincez la viande et placez-la dans un saladier. Ajoutez les haricots et la coriandre. Versez la vinaigrette sur la préparation et remuez suffisamment pour bien mélanger tous les ingrédients. Assaisonnez à votre goût de sel, de poivre et de sauce au piment.

SALADE DE CARAMBOLE ET DE MANGUE
ET SA VINAIGRETTE AU GINGEMBRE
POUR 4 PERSONNES

Les saveurs de cette vinaigrette sont particulièrement mises en valeur sur des chips de patates douces, des plantains verts grillés, des salades vertes ou encore des plats épicés.

4 mangues, coupées en dés
4 caramboles, émincées, pour leur forme d'étoile
15 g de racine de gingembre râpée
100 ml d'huile d'olive
100 ml de vinaigre de cidre
2 cuillères à soupe de jus de citron vert frais
1 cuillère à café de moutarde de Dijon
1 cuillère à café de coriandre fraîche émincée
1 soupçon d'oignon vert émincé
1 pincée de sel
1 pincée de poivre noir fraîchement moulu

Mélangez les mangues et les caramboles et mettez au frais. Réduisez en purée le gingembre avec l'huile d'olive, le vinaigre, le jus de citron vert, la moutarde, la coriandre, l'oignon vert, le sel et le poivre, dans le bol mixeur de votre robot ou à la main, jusqu'à obtention d'une consistance onctueuse. Répartissez sur les fruits frais.

SALADE DE CRESSON ASSAISONNÉE AUX ÉPICES
POUR 4 PERSONNES

Cette recette n'est pas faite pour plaire à ceux qui aiment les salades fades et insipides. Cette salade, pleine de tonus, a le craquant du cresson, la saveur sucrée de la tomate fraîche et le piquant de la moutarde au piment.

2 bottes de cresson, lavées, coupées et égouttées
1 grosse tomate mûre, coupée en petits morceaux
1 petit oignon, finement tranché et détaillé en bracelets
1 cuillère à soupe de vinaigre de vin rouge
1 cuillère à soupe de bouillon de volaille
1 cuillère à soupe de sauce au piment (page 96)
1/2 cuillère à café d'ail émincé
1 soupçon de moutarde
sel et poivre noir fraîchement moulu

Dans un grand saladier, mélangez le cresson, la tomate et les bracelets d'oignon. Dans un bol, fouettez le vinaigre avec le bouillon de volaille, la sauce au piment, l'ail et la moutarde. Salez, poivrez et arrosez la salade de cet assaisonnement.

Salade de carambole et de mangue et sa vinaigrette au gingembre.

SALADE DE PAPAYE ET D'AGRUMES
ET SON ASSAISONNEMENT AUX GRAINES DE PAPAYE
POUR 4 PERSONNES

Cette salade tonique et rafraîchissante sera l'accompagnement idéal de toutes les grillades aux épices. La vinaigrette est tout aussi adaptée pour assaisonner une salade de chou cru, une salade de fruit ou une salade verte.

1 petit oignon rouge, coupé en deux et finement haché
1 orange coupée en quartiers,
et 2 cuillères à soupe de son jus réservées
2 pamplemousses, roses de préférence, séparés en quartiers
la moitié d'une papaye (soit environ 225 g),
coupée en tranches grossières
1 poivron rouge doux, vidé, égrainé et émincé
1 poivron jaune doux, vidé, égrainé et émincé

Assaisonnement
60 g de sucre
1 pincée de sel

1 soupçon de moutarde de Dijon
3 cuillères à soupe de vinaigre blanc
100 ml d'huile végétale
2 cuillères à soupe de graines de papaye

Mettez l'oignon dans un petit bol. Recouvrez-le d'eau glacée et laissez reposer 30 minutes à température ambiante. Séchez-le sur du papier absorbant.

Mélangez les quartiers d'orange et de pamplemousse avec l'oignon, la papaye, les poivrons rouge et jaune dans un grand saladier.

Dans le bol mixeur de votre robot, mélangez le sucre, le sel, la moutarde et le vinaigre. Sans arrêter le moteur, versez l'huile en filet et mixez jusqu'à obtention d'une consistance onctueuse. Ajoutez les graines de papaye, mixez à nouveau pour les réduire à la taille de grains de poivre. Arrosez la salade de cet assaisonnement et remuez bien.

SALADE DE FRUITS DES ÎLES
POUR 4 PERSONNES

Ajoutez quelques crevettes à la marinade… la salade sera délicieuse !

1 cuillère à soupe de vinaigre balsamique
le jus d'une orange
2 cuillères à café de sauce au soja
2 cuillères à soupe d'huile végétale
1 pincée de sel
1/2 cuillère à café de sucre (facultatif)
2 oranges moyennes, épluchées et séparées en quartiers,
jus réservé
150 g de quartiers de pamplemousse sucrés en boîte,
égouttés

1 carambole, kiwi ou poire, coupé en tranches
450 g de crevettes cuites
1 oignon rouge moyen, émincé
feuilles de laitue ou 2 avocats pour décorer (facultatif)

Dans le bol mixeur de votre robot, ou à la main, mélangez et liez le vinaigre, le jus d'orange, la sauce au soja, l'huile, le sel et le sucre. Transférez dans un bol et ajoutez les quartiers d'orange et de pamplemousse, les tranches de carambole, de kiwi ou de poire, les crevettes et l'oignon. Laissez macérer une heure, couvert, dans le réfrigérateur. Égouttez les fruits et l'oignon et servez dans des assiettes décorées de feuilles de laitue ou dans des avocats coupés en deux et creusés.

SALADE DE RIZ ET DE HARICOTS NOIRS

POUR 4 À 6 PERSONNES

Si vous avez des invités qui arrivent à l'improviste, utilisez un reste de riz cuit et une boîte de haricots noirs. Cette salade, très rapide à réaliser, accompagnera n'importe quel plat principal léger. Pour apporter une touche de couleur, vous pouvez la décorer d'un poivron rouge ou d'un piment coupé en lamelles.

550 g de haricots noirs cuits (frais ou en boîte),
rincés et égouttés
350 g de riz cuit
50 g de coriandre fraîche
50 ml de jus de citron vert
175 ml d'huile

50 g d'oignons émincés
2 gousses d'ail pressées
sel et poivre noir du moulin
un poivron rouge
(pour la décoration)

Mettez dans un saladier les haricots, le riz et la coriandre. Préparez la sauce dans un bol en mélangeant le jus de citron vert, l'huile, l'ail et l'oignon. Versez la sauce sur la salade et remuez. Salez, poivrez et décorez avec les lamelles de poivron rouge ou de piment. Servez cette salade à température ambiante ou glacée.

SALADE DE PORC TROPICALE, ASSAISONNEMENT ORANGE-MENTHE

POUR 4 PERSONNES

Voici une délicieuse façon d'accommoder les restes de porc. (À vous de trouver comment cuisiner du porc, et qu'il en reste ensuite suffisamment pour vous permettre de réaliser cette succulente salade !)

1 cuillère à café d'écorce d'orange finement râpée
50 ml de jus d'orange fraîche
1 cuillère et demie à soupe de vinaigre de cidre
2 cuillères à soupe de feuilles de menthe fraîche hachées
ou 1 cuillère à soupe de menthe déshydratée
3/4 cuillère à café de moutarde de Dijon
1 pincée de sel
1 pincée de poivre fraîchement moulu
100 ml d'huile d'olive
450 g de porc cuit, coupé en petits morceaux

1 grosse papaye mûre (450 g) épluchée, coupée en deux,
égrainée et détaillée en dés de 1, 5 cm
1 avocat mûr (275 g) coupé en deux, dénoyauté,
épluché et détaillé en dés de 1, 5 cm
1 petit oignon rouge finement haché
150 g de laitue, d'épinard frais ou d'endive détaillée
40 g d'amandes effilées, grillées

Dans un grand saladier mélangez l'écorce d'orange avec son jus, le vinaigre, la menthe, la moutarde, le sel et le poivre. Versez l'huile en filet pour bien lier la sauce. Ajoutez le porc, la papaye, l'avocat et l'oignon, en remuant bien et couvrez. Formez un petit dôme avec la préparation, au centre de votre plat de service ; entourez de feuilles de laitue, d'épinard ou d'endive et recouvrez avec les amandes effilées.

SOUPES

CALALOU

POUR 4 À 6 PERSONNES

Calaloo, callilu, callau, kalalou ou *callaloo* – peu importe son nom ! Cette soupe rencontre toujours le même succès auprès des nombreuses ethnies des Caraïbes. Son nom vient en fait de son ingrédient principal, les feuilles du taro ou calalou ; pourtant, hors Caraïbes, les cuisiniers ont découvert que l'épinard frais, la bette, le chou frisé comme le *bhaji* indien, avaient toutes les caractéristiques du calalou et étaient beaucoup plus faciles à trouver. Sa couleur vert menthe et son parfum fin et subtil font de cette soupe un hors-d'œuvre rafraîchissant qui entre dans la majorité des repas caribéens. Les Antillais nous auraient reproché d'avoir omis de citer l'okra ; mais si vous n'aimez pas son goût si particulier, soyez assuré que la saveur caractéristique du calalou n'en sera aucunement diminuée. Si vous aimez innover, vous pouvez aussi intégrer un peu de chair de crabe à cette préparation.

225 g d'épinards frais, de bettes ou de chou frisé
100 g d'okra, coupé en tranches (facultatif)
225 g d'aubergines, épluchées et hachées en petits dés
900 ml d'eau
1 cuillère à soupe d'huile végétale
2 oignons, finement hachés
2 gousses d'ail, hachées

1/2 cuillère à café de thym
1 pointe de piment de la Jamaïque
2 cuillères à soupe de ciboulette hachée
1 piment frais, épépiné et haché, ou 1 cuillère à soupe de sauce au piment (page 96)
1 cuillère à soupe de vinaigre de vin blanc
225 ml de lait de noix de coco (page 14)
sel et poivre noir fraîchement moulu

Lavez et essorez les épinards, enlevez toutes les fibres et les nervures. Hachez grossièrement les feuilles, mettez-les dans un grand faitout, avec l'okra, si vous en utilisez, ainsi que l'aubergine. Ajoutez de l'eau et laissez cuire 15 minutes à feu doux jusqu'à ce que les légumes soient tendres. (Si vous avez choisi d'utiliser de l'okra, surveillez bien la cuisson ; en effet, ce légume, si vous le faites trop longtemps cuire, devient vite gélatineux.)

Mettez l'huile à chauffer dans une grande poêle à frire et faites revenir les oignons et l'ail, jusqu'à ce que les oignons deviennent translucides. Ajoutez aux légumes tous les autres ingrédients ainsi que les oignons et l'ail ; laissez cuire 5 minutes à feu doux. Réduisez en purée dans le bol mixeur de votre robot et servez immédiatement.

Soupe des Bahamas au lambi
Pour 4 à 6 personnes

La soupe de lambi est aux Caribéens ce que le bouillon de volaille est à la plupart des autres pays du monde – omniprésente et appréciée. Le lambi, à la chair aussi dure que du cuir, est un magnifique coquillage dont on dit que l'on peut y entendre l'Océan si on l'approche de l'oreille…

1 tranche de bacon, hachée
1/2 cuillère à soupe d'huile végétale
150 g de carottes hachées
100 g de céleri haché
100 g d'oignon haché
25 g de poivron vert doux haché
25 g de poivron rouge doux haché
1 cuillère à soupe d'ail émincé
450 g de chair de lambi émincée
225 g de purée de tomate en boîte
1 cuillère à soupe de concentré de tomate
1 feuille de laurier
1 cuillère à café de thym déshydraté
1/2 cuillère à café de poivre noir
1/4 à 1/8 de litre de bouillon de volaille ou de poisson
1 grosse pomme de terre épluchée et coupée en dés
50 ml de xérès
sel
poivre de Cayenne
huile végétale (facultatif)
farine complète (facultatif)

Dans une casserole de 2 à 4 litres, faites revenir le bacon dans l'huile, 2 minutes, à feu doux. Ajoutez les carottes, le céleri, l'oignon, les poivrons vert et rouge, et l'ail. Faites revenir les oignons jusqu'à ce qu'ils deviennent translucides. Ajoutez la chair du lambi, la purée de tomate, le concentré de tomate, la feuille de laurier, le thym, le poivre, le bouillon de volaille ou de poisson (en utilisant les doses minima de chaque ingrédient, votre soupe sera déjà suffisamment épicée). Portez à ébullition, baissez le feu et laissez mijoter 30 à 45 minutes, découvert, jusqu'à ce que le bouillon ait réduit d'un tiers.

Ajoutez les dés de pomme de terre et laissez cuire 20 minutes, découvert, jusqu'à ce qu'ils soient tendres et que la soupe ait épaissi. Incorporez le xérès, salez et poivrez à volonté.

Pour épaissir votre soupe, ajoutez un roux fait d'huile végétale et de farine – environ 1/2 cuillère à soupe d'huile pour 8 g de farine. Incorporez progressivement dans la soupe jusqu'à obtention de la consistance désirée.

Soupe de calebasse
Pour 4 à 6 personnes

Vous pouvez remplacer la calebasse par une courge verte de Hubbard ou de la citrouille, ou même par des courgettes, dans cette recette onctueuse, riche, au goût de noisette. Si vous utilisez des petites courges ou des courgettes, faites-les simplement blanchir pour les attendrir. Parce que la calebasse est un gros légume, elle est généralement vendue en quartiers ou par moitié.

1,5 kg de calebasse
50 g de beurre doux
25 g de pignons, réduits en pâte
2 gros oignons hachés
2 cuillères à café de coriandre moulu
1 cuillère à café de cumin moulu
1/2 cuillère à café de poivre blanc moulu
1 cuillère à café de sel
750 ml de bouillon de volaille
1 plantain mûr, épluché et coupé en tranches de 8 mm
225 ml de jus de mangue ou de pomme,
de nectar de pêche ou de cidre

Préchauffez votre four à 180°C, thermostat 4. Coupez la calebasse en deux si elle est entière et enlevez les pépins. Placez-la côté chair sur la plaque de cuisson et laissez cuire environ 30 minutes.

Pendant que la calebasse cuit, faites fondre le beurre à feu doux dans un grand faitout, en ajoutant progressivement la pâte de pignons. Ajoutez les oignons, la coriandre, le cumin, le poivre et le sel. Couvrez et laissez mijoter environ 20 minutes, jusqu'à ce que les oignons fondent.

Ajoutez le bouillon de volaille dans le faitout et portez à ébullition à feu vif. Quand la soupe bout, ajoutez les tranches de plantain. Couvrez et réglez sur feu moyen. Laissez mijoter 10 minutes.

Sortez la calebasse du four et laissez-la refroidir suffisamment pour pouvoir la toucher. Extrayez la chair, coupez-la en petits morceaux que vous ajoutez à la soupe. Incorporez le jus de fruit et faites mijoter 30 minutes jusqu'à ce que le plantain soit tendre.

Passez la soupe et réservez le bouillon dans une grande casserole. Réduisez en purée les ingrédients solides dans le bol mixeur de votre robot jusqu'à obtention d'une consistance onctueuse.

Reversez cette purée dans la casserole, avec le bouillon. Couvrez et laissez mijoter à petit feu jusqu'à ce que la soupe soit bien chaude. Pour l'épaissir, découvrez et laissez cuire à petit feu, en remuant fréquemment. Servez brûlant.

Soupe glacée au fruit de la passion, yaourt-vanille

Pour 4 personnes

Préférez des fruits de la passion gros et lourds, à la peau rugueuse. Leur prix étant relativement élevé, vous garderez probablement cette recette pour une occasion particulière.

20 fruits de la passion frais
100 g de sucre
4 gousses de vanille de 10 cm,
fendues dans le sens de la longueur
225 ml d'eau
2 cuillères à café de gélatine
100 ml de yaourt entier, bien remué
feuilles de menthe fraîche pour décorer (facultatif)

Posez une passoire sur une casserole moyenne inoxydable. Travaillez au-dessus de cette passoire ; coupez chaque morceau de fruit de la passion en deux pour en extraire la pulpe, à l'aide d'une cuillère à café. Faites passer la pulpe et le jus à travers la passoire et jetez les pépins.

Ajoutez le sucre, les gousses de vanille et l'eau dans la casserole ; faites chauffer à petit feu en remuant régulièrement. Sortez du feu et répartissez la gélatine au-dessus de la préparation. Réservez, sans y toucher, pour laisser le temps à la gélatine de s'épaissir sur toute la surface, 3 minutes environ. Remuez ensuite énergiquement ce mélange pour incorporer la gélatine de façon homogène. Placez un tamis au-dessus d'un récipient inoxydable et filtrez votre mélange.

Laissez refroidir à température ambiante et placez le récipient dans un grand saladier rempli de glace et d'eau. Laissez glacer en remuant fréquemment (on peut aussi réaliser cette recette en laissant la préparation refroidir, couverte, toute une nuit au réfrigérateur).

Servez la soupe fraîche dans 4 assiettes creuses. Déposez deux cuillères à soupe de yaourt dans chaque assiette et, si vous le souhaitez, décorez de feuilles de menthe.

Vichyssoise des îles aux patates douces

Pour 6 à 8 personnes

Cette soupe rafraîchissante peut se préparer avec des fruits à pain ou encore des patates douces. C'est un plat que l'on peut présenter de façon originale, servi dans des coupes glacées, décoré de ciboulette ou de coriandre.

6 bouquets d'oignons verts, hachés avec la tête du bulbe
1,2 litre de bouillon de volaille
1,25 kg de fruits à pain, épluchés, vidés,
coupés en dés, bouillis dans l'eau salée
jusqu'à ce qu'ils soient tendres (environ 25 minutes)
et égouttés, ou des patates douces, cuites avec leur peau
jusqu'à ce qu'elles soient tendres
sel et poivre blanc
100 ml de crème liquide
ciboulette fraîche ou coriandre, hachée, pour décorer
(facultatif)

Mélangez les oignons à 225 ml de bouillon de volaille et faites mijoter 15 minutes, jusqu'à ce qu'ils s'attendrissent. Si vous utilisez des patates douces, faites-les cuire préalablement puis extrayez la chair cuite, ôtez la peau et ajoutez au bouillon l'équivalent de 750 g de chair. Écrasez, en une purée onctueuse, les fruits à pain ou la chair des patates douces dans le bouillon à l'oignon. Faites mijoter quelques minutes avec le reste du bouillon de volaille. Ajoutez la crème. Salez et poivrez à volonté. Laissez refroidir au réfrigérateur avant de servir. Décorez selon votre inspiration avec de la ciboulette ou de la coriandre.

BISQUE ANANAS-MANGUE
POUR 4 PERSONNES

40 g de sucre
2 cuillères à soupe de rhum ambré
2 cuillères à soupe d'eau
1 ananas de 1,5 kg épluché, évidé
et coupé en morceaux de 2,5 cm
2 mangues épluchées, dénoyautées
et coupées en morceaux de 1,5 cm
750 ml de lait froid
1 pointe de cannelle moulue
100 ml de crème épaisse,
un supplément au moment de servir

Dans une petite casserole, mélangez le sucre, le rhum et l'eau. Portez à ébullition à feu vif et laissez bouillir 1 à 2 minutes pour faire réduire légèrement. Sortez du feu et laissez refroidir.

Dans le bol mixeur de votre robot, mélangez l'ananas, les mangues et le sirop à base de rhum à 100 ml de lait; réduisez en purée. Passez la soupe dans une passoire, au-dessus d'un grand récipient inoxydable. Versez le reste de lait, la cannelle et la crème. Mélangez, couvrez et placez au réfrigérateur au moins 4 heures, pour que la soupe soit bien glacée.

SOUPE TOMATE-ORANGE
POUR 4 PERSONNES

Dans cette soupe l'orange fait ressortir le parfum doux-amer des tomates du pays, à condition que vous ayez la chance d'en trouver. Servez accompagné de croûtons grillés épicés qui vous titilleront les papilles.

1,1 kg de tomates mûres, ébouillantées, épluchées et coupées en 4 (ou des tomates entières en boîte, égouttées)
8 g de feuilles de basilic frais
écorce d'orange détaillée en lamelles
2 cuillères à soupe d'oignon vert haché
(seulement la partie blanche)
1 cuillère à café de sucre
2 cuillères à soupe de jus de citron ou de citron vert
225 ml de jus d'orange
1 cuillère à soupe de farine de maïs
2 cuillères à soupe de coriandre émincé,
de ciboulette ou de persil
sel et poivre noir fraîchement moulu
croûtons grillés épicés (page 92)

Dans une grande casserole, mélangez les tomates, le basilic, l'écorce d'orange, l'oignon vert, le sucre, le jus de citron ou de citron vert. Couvrez et portez à ébullition. Baissez tout de suite le feu et laissez mijoter, 15 minutes, couvert. Sortez l'écorce d'orange. Réduisez en purée dans le bol mixeur de votre robot et passez la soupe dans une passoire si vous voulez enlever tous les pépins restants.

Reversez la soupe dans la casserole. Mélangez le jus d'orange et la farine de maïs dans un petit saladier jusqu'à obtention d'une consistance onctueuse et incorporez à la soupe de tomates. Faites cuire à feu moyen en remuant sans arrêt, jusqu'à ce que la préparation épaississe et parvienne à ébullition. Baissez le feu, incorporez la coriandre, la ciboulette ou le persil ; salez et poivrez à volonté. Décorez si vous le voulez avec des croûtons grillés épicés.

SOUPE DE CREVETTES COCO
POUR 4 PERSONNES

1 poivron rouge doux coupé en dés
1 1/2 cuillère à soupe d'oignon vert haché
avec un peu de tiges vertes
450 ml de bouillon de volaille fait maison
2 cuillères à café d'ail haché
1 cuillère à soupe de racine de gingembre râpée
1 cuillère à soupe de coriandre moulue
1/2 cuillère à soupe de curry en poudre
1/2 cuillère à café de thym
1/2 cuillère à café de poivre blanc
1/2 cuillère à café de sauce au piment (page 96)
400 ml de lait de noix de coco (page 14)
550 g de crevettes décortiquées
225 ml de crème épaisse

Dans un petit bol, mélangez le poivron rouge, l'oignon vert et réservez. Dans une casserole de 4 litres, portez à ébullition à feu moyen le bouillon de volaille, l'ail, le gingembre, la coriandre, le curry, le thym, le poivre, la sauce au piment et le lait de noix de coco. Baissez immédiatement le feu et laissez mijoter 5 minutes. Sortez du feu et dégraissez.

Remettez à feu moyen, faites frémir et ajoutez la moitié du mélange poivron et oignon vert ainsi que les crevettes. Laissez cuire doucement, 5 minutes environ, jusqu'à ce que les crevettes soient tendres. Évitez de faire trop cuire.

Retirez du feu et incorporez la crème. Goûtez et assaisonnez selon votre goût. Servez dans des bols décorés avec le reste du mélange de poivron rouge et de ciboule.

SOUPE DE POULET AUX ÉPICES
POUR 4 PERSONNES

Cette soupe typiquement caribéenne est tout sauf fade – son assaisonnement, les saveurs authentiques du poulet et la fraîcheur des légumes ajoutés en fin de préparation donnent toute sa couleur et son lot d'éléments nutritifs à cette soupe. Pensez-y en accompagnement de canapés lors d'un lunch, ou comme hors-d'œuvre – et pourquoi ne pas rajouter plus de poulet, décortiqué et coupé en dés, et quelques pâtes pour en faire un plat complet ?

1 oignon, coupé en deux
2 branches de céleri avec les feuilles, hachées
2 carottes coupées en dés
1 panais coupé en dés
5 gousses d'ail épluchées
1,5 kg de poulet
1,5 litre d'eau
1/2 cuillère à café de basilic frais émincé
1/2 cuillère à café de curry en poudre
1 goutte de sauce au piment (page 96)
1 cuillère à café de coriandre émincée
sel et poivre noir fraîchement moulu

Séparez les légumes en deux et mettez-les dans deux saladiers ou sur des feuilles de papier sulfurisé. Dans une cocotte, mettez les gousses d'ail, le poulet et une moitié des légumes. Ajoutez assez d'eau pour recouvrir le poulet ; mettez ensuite le basilic, le curry en poudre, la sauce au piment, la coriandre ; salez et poivrez à volonté. Portez à ébullition puis baissez immédiatement le feu et laissez mijoter, 2 heures environ, découvert.

Dégraissez le bouillon et passez la soupe. Sortez le poulet et conservez-le au réfrigérateur, pour un usage ultérieur.

Ajoutez l'autre moitié de légumes à la soupe. Faites mijoter à peu près 10 minutes, jusqu'à ce que les légumes soient tendres ; servez immédiatement.

POISSONS ET
FRUITS DE MER

SOMMAIRE

DARNES DE MORUE CALYPSO
POUR 6 PERSONNES

Le piment apporte tout son tonus à ces darnes de morue. Du saumon ferait tout aussi bien l'affaire ; n'utilisez pas de morue salée pour cette recette. Servez avec n'importe quel plat proposé dans le chapitre Accompagnements.

3 cuillères à soupe de jus de citron vert frais
2 cuillères à soupe d'huile d'olive
2 cuillères à café d'ail émincé
1 cuillère à café de piment émincé ou 2 cuillères à café
de sauce au piment (page 96)
6 darnes de morue ou de saumon de 175 g chacune,
d'une épaisseur de 2 cm

Dans un bol, mélangez le jus de citron vert, l'huile d'olive, l'ail, le piment ou la sauce au piment.

Huilez la plaque du gril et préchauffez. Faites revenir les darnes 10 à 12 minutes sur une face, en arrosant fréquemment de sauce ; faites ensuite cuire l'autre face 10 à 12 minutes, en arrosant à nouveau de sauce, jusqu'à ce que les darnes soient tendres, mais pas trop cuites.

CREVETTES GRILLÉES
CHUTNEY MANGUE-PAPAYE
POUR 4 PERSONNES

Voici un plat qui fait fureur, servi à l'occasion de réceptions ou de barbecues, lorsque les invités peuvent manger debout. Cuites dans leur carapace, les crevettes n'en auront que plus de saveur.

450 g de crevettes avec leur carapace, bien séchées
1 cuillère à café d'huile végétale
1/2 cuillère à café de sel
4 petits pains pitas de 15 cm
350 g de chutney mangue/papaye (page 102)
quartiers de citron vert pour décorer

Préparez le barbecue ou faites chauffer l'huile dans un grand plat en fonte à feu moyen.

Posez les crevettes, légèrement huilées, en une seule couche, sur une feuille d'aluminium résistante ou sur une plaque de gril à fines mailles. Placez sur le barbecue. (Si vous utilisez de l'aluminium, assurez-vous qu'il ne recouvre pas entièrement le gril ; la fumée dégagée pourrait alors toucher les crevettes). Faites griller les crevettes seulement 2 minutes, jusqu'à ce qu'elles rosissent. Retournez-les à l'aide de pinces et faites griller 2 minutes de plus, jusqu'à ce qu'elles soient opaques quand on les coupe dans leur partie la plus charnue. Si vous utilisez votre four, disposez les crevettes en une seule couche dans le plat et faites cuire 2 minutes, jusqu'à ce qu'elles deviennent opaques quand on les coupe dans leur partie la plus charnue. Laissez refroidir et décortiquez les crevettes. Coupez-les en deux dans le sens de la longueur. Mélangez-les à 100 g de chutney. Ouvrez les petits pains pitas et farcissez-les du mélange crevettes et chutney mangue-papaye. Servez immédiatement ; décorez avec le reste de chutney et les quartiers de citron.

RED SNAPPER VAPEUR
ET SON CURRY À L'ORANGE
POUR 4 PERSONNES

Si vous ne trouvez pas de *red snapper*, utilisez n'importe quel poisson maigre à chair ferme tel que mérou, flétan, hareng, carrelet, perche, turbot ou sole. Accompagnez ce plat de légumes cuits à la vapeur ou de plantains verts frits deux fois (page 115). Vos invités assaisonneront leurs plantains tout comme leur poisson d'une sauce orange-curry ; nappez de cette sauce du chou-fleur cuit à la vapeur, c'est divin.

Sauce orange-curry
100 ml de crème fraîche
4 cuillères à soupe d'écorce d'orange râpée
2 cuillères à soupe de coriandre fraîche hachée
1 pointe d'oignon en poudre
1 pointe de moutarde en poudre
1 pointe de curry en poudre

Poisson
3 baies entières de piment de la Jamaïque
750 g de red snapper, coupé en 4 darnes

Mélangez la crème fraîche, l'écorce d'orange, la coriandre, les poudres d'oignon, de moutarde et de curry dans un petit saladier et mettez au frais. Graissez légèrement le panier d'une Cocotte-minute et placez-le dans une grande casserole. Ajoutez un fond d'eau, jusqu'au niveau du fond du panier, et portez à ébullition. Jetez les baies de piment dans l'eau bouillante et mettez les darnes. Couvrez, baissez le feu et laissez mijoter 8 à 10 minutes, jusqu'à ce que la chair du poisson se détache facilement lorsque vous la piquez avec une fourchette. Servez nappé avec la sauce.

QUEUE DE LANGOUSTE GRILLÉE DES BAHAMAS
POUR 4 PERSONNES

Voici ma version de ce plat raffiné servi au club *Runaway Hill* aux Bahamas.

4 queues de langouste (soit environ 750 g), décongelées,
décortiquées et carapaces intactes
4 cuillères à café de jus de citron ou de citron vert
4 gousses d'ail émincées
75 g de beurre clarifié ou doux
150 g de chapelure
2 cuillères à café de sel
1 cuillère à café de poivre noir fraîchement moulu
1/2 cuillère à café de thym déshydraté, émietté
1/2 cuillère à café de marjolaine déshydratée, émiettée
1/2 cuillère à café d'origan déshydraté, émietté
1/2 cuillère à café de basilic déshydraté, émietté
1/2 cuillère à café de romarin déshydraté, émietté
1/2 cuillère à café de sauge déshydratée, émiettée
1/2 cuillère à café d'ail en poudre
1 pointe de piment émincé
ou une goutte de sauce au piment (page 96)
2 cuillères à soupe de parmesan frais râpé
huile végétale

Rincez les carapaces des langoustes et séchez-les sur du papier absorbant ; arrosez-les ensuite de jus de citron ou de citron vert. Dans une petite casserole, faites revenir l'ail dans le beurre clarifié ou le beurre doux, à feu modéré pendant 1 minute. Sortez votre casserole du feu.

Dans un récipient peu profond, mélangez la chapelure, le sel, le poivre, le thym, la marjolaine, l'origan, le basilic, le romarin, la sauge, l'ail en poudre, le piment ou la sauce au piment et le parmesan. Roulez les queues de langouste dans le beurre aillé, saupoudrez-les du mélange de chapelure et remettez-les dans leur carapace.

Si vous utilisez un gril électrique, frottez la grille avec de l'huile et réglez le mode de cuisson suivant les instructions du fabricant. Sur un barbecue ordinaire, faites griller les queues de langouste, carapace vers le bas, sur une plaque (10 à 15 cm) au-dessus de la braise pendant 10 minutes, en les tournant de temps en temps d'un côté et de l'autre. Couvrez, 5 à 10 minutes, jusqu'à ce que les queues de langouste soient bien cuites.

CREVETTES TAMARINDO
POUR 4 PERSONNES

Voici une autre délicieuse recette de crevettes ; sa saveur inhabituelle vient du tamarin. Accompagnez d'une salade craquante et d'un riz cuit à la vapeur.

25 g de beurre doux ou de margarine
2 cuillères à soupe d'oignon émincé
1 gousse d'ail écrasée
1 poivron vert doux, vidé, épépiné et haché
2 cuillères à soupe de concentré de tomate
50 ml de xérès
1 feuille de laurier
100 ml de jus de tamarin (page 17)
2 cuillères à soupe de miel liquide
1 pointe de piment de la Jamaïque moulu
1 pincée de sel
1 goutte de sauce au piment (page 96)
450 g de crevettes décortiquées
1 cuillère à soupe de jus de citron ou de citron vert

Faites chauffer le beurre dans une grande poêle à frire. Ajoutez et faites frire jusqu'à ce qu'ils soient tendres, l'oignon, l'ail et le poivron vert. Incorporez le concentré de tomate, le xérès, la feuille de laurier, le jus de tamarin, le miel, le piment de la Jamaïque et le sel, en remuant sans arrêt pour maintenir la préparation chaude. Baissez le feu et faites mijoter 5 minutes, à découvert ; faites réduire jusqu'à obtention d'une mince couche. Assaisonnez de sauce au piment, à volonté. Ajoutez les crevettes et remuez, 3 à 5 minutes, jusqu'à ce qu'elles rosissent. Sortez la feuille de laurier et incorporez le jus de citron ou de citron vert.

Crevettes tamarindo.

RED SNAPPER FAÇON CARAÏBES
POUR 4 PERSONNES

Voici une autre façon de préparer l'un des plus savoureux poissons des Caraïbes. Vous serez surpris de constater combien le mélange d'épices et de tomates imprègne et rehausse le poisson de saveurs antillaises. Servez avec du riz rond pour absorber un peu les sucs. Vous pouvez utiliser à la place du *red snapper* n'importe quel poisson à chair blanche, comme la perche, le turbot, la sole, le mérou, le flétan, le hareng ou le carrelet.

huile végétale
1 oignon moyen émincé
1 grosse tomate, pelée et hachée
1/2 cuillère à café de piment de la Jamaïque moulu
1 pincée d'origan déshydraté
1 pincée de thym déshydraté
1 cuillère à café de coriandre fraîche hachée,
ou une demie-feuille de laurier pour parfumer
2 cuillères à soupe d'eau
1 cuillère à café de sauce au piment (page 96)
450 g de filets de red snapper

1/2 cuillère à café de jus de citron ou de citron vert
1 petite gousse d'ail émincée
la moitié d'un gros oignon hachée
1/4 de poivron rouge doux haché
1/4 de poivron vert doux haché
1/2 cuillère à soupe d'huile d'olive
25 g d'amandes effilées

Préchauffez votre four à 200 °C, thermostat 6. Graissez un plat allant au four d'huile végétale. Tapissez le fond du plat avec l'oignon émincé et ajoutez la tomate, le piment de la Jamaïque, l'origan, le thym, la coriandre et la feuille de laurier. Mélangez l'eau et la sauce au piment et versez doucement sur la préparation de tomate. Badigeonnez les filets de poisson de jus de citron ou de citron vert et disposez-les dans le plat. Faites frire, 3 minutes, dans l'huile d'olive, l'ail, l'oignon, les poivrons rouge et vert. Versez sur le poisson. Couvrez et mettez au four 40 à 45 minutes, jusqu'à ce que la chair du poisson se détache quand vous la piquez avec une fourchette. Sortez la feuille de laurier et décorez avec les amandes.

FILETS DE SAUMON POCHÉS ET LEUR VINAIGRETTE À L'ANETH ET AU GINGEMBRE

POUR 4 PERSONNES

Cette recette accommode aux épices des Caraïbes un poisson évoluant dans des eaux froides. Servez avec une purée de pommes de terre à la crème d'ail (page 114) ou avec un méli-mélo de riz et de haricots.

4 filets de saumon de 175 g, sans arêtes, avec leur peau
9 gros brins d'aneth frais
1 feuille de laurier
4 clous de girofle entiers
sel
9 grains de poivre noir entiers
2 cuillères à soupe de vinaigre de vin blanc
Vinaigrette aneth-gingembre
2 cuillères à soupe de moutarde de Dijon
1 cuillère à soupe de racine de gingembre râpée
2 cuillères à soupe d'échalote finement hachée
1 cuillère à café d'ail finement haché
2 cuillères à soupe de vinaigre d'estragon
50 g de piments en boîte, coupés en dés
sel et poivre noir fraîchement moulu
100 ml d'huile d'olive

Préparez votre vinaigrette en battant dans un bol la moutarde, le gingembre, l'échalote, l'ail, le vinaigre, les piments, le sel et le poivre. Ajoutez ensuite l'huile d'olive en filet, en fouettant énergiquement pour bien lier la vinaigrette. Réservez.

Déposez les filets de saumon dans une casserole peu profonde, et recouvrez d'eau. Ajoutez tous les brins d'aneth, sauf un, le laurier, les clous de girofle, le sel, les grains de poivre et le vinaigre.

Portez à ébullition et laissez frémir 3 à 5 minutes. Prenez garde à ne pas trop faire cuire. Égouttez et servez avec la vinaigrette que vous fouetterez une dernière fois, si nécessaire. Déposez le dernier brin d'aneth à la nage, dans le bol de vinaigrette.

CREVETTES CRÉOLES
POUR 4 À 6 PERSONNES

Dans cette version des Crevettes créoles on fait réduire le liquide jusqu'à ce que la sauce s'épaississe et soit suffisamment relevée. Les châtaignes d'eau, craquantes, agrémentent ce plat d'une touche orientale.

2 cuillères à soupe d'huile végétale
1 gros oignon haché
8 gousses d'ail émincées
2 grosses branches de céleri, finement hachées
4 tomates moyennes hachées
2 poivrons verts moyens hachés
2 cuillères à soupe de concentré de tomate
1 cuillère à café de sauce au piment (page 96)
1/2 cuillère à café d'origan déshydraté
1 cuillère à café de thym déshydraté
2 cuillères à café de sauce Worcestershire
1,5 l de bouillon de volaille
750 g de crevettes décortiquées
225 g de châtaignes d'eau émincées en boîte, rincées
et égouttées ou 225 g de jicama émincé
1/2 cuillère à café de jus de citron vert

sel et poivre noir fraîchement moulu
750 g de riz long blanc cuit
1 cuillère à soupe de coriandre émincée ou de persil
pour décorer

Faites chauffer l'huile dans une grande casserole, une poêle à frire ou un wok. Ajoutez l'oignon, l'ail, le céleri, les tomates et les poivrons ; faites frire à feu moyen jusqu'à ce que tous les ingrédients soient tendres. Ajoutez le concentré de tomate, la sauce au piment, l'origan et le thym ; mélangez en remuant sans arrêt pendant 2 minutes. Incorporez la sauce Worcestershire et le bouillon de volaille ; portez à ébullition à feu moyen jusqu'à ce que le mélange épaississe, environ 30 minutes. Ajoutez les crevettes et les châtaignes d'eau et laissez mijoter à découvert, 4 minutes environ, jusqu'à ce que les crevettes deviennent opaques. Sortez du feu et assaisonnez à volonté avec un peu plus de sauce au piment, de jus de citron vert, de sel et de poivre. Présentez sur ou sous une part de riz dans des assiettes préchauffées et parsemez le tout de coriandre ou de persil. Servez immédiatement.

CREVETTES GRILLÉES DANS LEUR BACON AUX DEUX SAUCES

POUR 4 PERSONNES

1 cuillère à café d'ail haché
2 cuillères à café d'échalote hachée
100 ml d'huile d'olive vierge extra
1/2 cuillère à café d'origan déshydraté
1/2 cuillère à café de thym déshydraté
1/2 cuillère à café de basilic déshydraté
sel et poivre noir fraîchement moulu
16 crevettes décortiquées, queues réservées
8 tranches de bacon maigre

Rémoulade
2 jaunes d'œuf
2 œufs entiers
2 cuillères à café de moutarde de Dijon
jus d'un citron vert
450 ml d'huile d'olive
2 cuillères à café de sauce au raifort
1 cuillère à café de paprika, doux ou fort, selon les goûts
2 cuillères à café de vinaigre de vin blanc
2 œufs durs, finement hachés
3 cuillères à soupe d'oignon rouge finement haché
2 cuillères à café de câpres finement hachées
1 cuillère à café de piment finement haché
ou de sauce au piment
sel et poivre noir fraîchement moulu
2 cuillères à soupe de coriandre fraîche hachée

Moutarde au curry
25 g de beurre doux ou de beurre clarifié
1/2 cuillère à café de curry en poudre
1 cuillère à soupe plus 1 cuillère à café de miel
2 cuillères à café de jus de citron ou de citron vert
2 cuillères à café de moutarde de Dijon

Pour la décoration
Rondelles de citron vert ou brins de coriandre (facultatif)

Dans un bol, mélangez les brins de coriandre (facultatif), l'ail, l'échalote, l'huile d'olive, l'origan, le thym, le basilic, le sel et le poivre. Ajoutez les crevettes. Couvrez et laissez mariner toute la nuit au réfrigérateur.

Préchauffez votre four à 180°C, thermostat 4. Faites griller le bacon 4 à 6 minutes, au four sur une grille au-dessus de la lèchefrite ou sur un gril. Enveloppez bien chaque crevette dans le bacon (1/2 tranche pour chaque crevette). Maintenez à l'aide d'une pique à cocktail et

mettez au réfrigérateur jusqu'à ce que vous soyez prêt(e) à les cuisiner.

Pour préparer la rémoulade, mettez les jaunes d'œuf et les œufs entiers dans un mixer ou un robot ménager. Ajoutez la moutarde et le jus de citron vert. Tout en mixant, ajoutez l'huile d'olive en mince filet jusqu'à obtention de la consistance d'une mayonnaise. Transférez cette préparation dans un saladier et incorporez la sauce au raifort, le paprika, le vinaigre, les œufs durs, l'oignon, les câpres, le piment, le sel et le poivre, et la coriandre ; mettez au réfrigérateur 30 minutes.

Pour préparer la moutarde au curry, chauffez le beurre clarifié ou le beurre dans une petite casserole à feu modéré. Augmentez le feu et mettez à cuire, environ 1 minute et demie, le curry en poudre, jusqu'à ce qu'il fonde, en remuant une seule fois. Incorporez le miel, le jus de citron ou de citron vert et la moutarde.

Faites griller les crevettes au four, à gril modéré, jusqu'à ce que le bacon soit croustillant et que les crevettes soient bien cuites, environ 3 minutes de chaque côté. Dressez dans un plat de service et nappez d'un peu de rémoulade ou de curry à la moutarde. Décorez de rondelles de citron vert et/ou de coriandre.

CURRY DE RED SNAPPER

POUR 4 PERSONNES

Le *red snapper* est légèrement parfumé, habituellement bon marché ; sa chair blanche maigre se prête bien à nombre de sauces relevées. Si vous ne trouvez pas de *red snapper*, utilisez de la perche, du turbot, de la sole, du mérou, du carrelet, de l'aiglefin ou du flétan. Si vous avez quelque problème de taux de cholestérol, préparez pour cette recette une mayonnaise allégée.

huile végétale
4 filets de 100 g de red snapper
100 ml de mayonnaise
2 cuillères à soupe de vin blanc sec
2 cuillères à soupe de jus de citron vert ou de citron
1 cuillère à café d'aneth déshydraté
1 cuillère à café de curry en poudre

Préchauffez votre four à 180°C, thermostat 4. Graissez d'huile d'olive la grille du four. Placez-la au-dessus de la lèchefrite et disposez les filets.

Dans un bol, mélangez la mayonnaise, le vin, le jus de citron ou de citron vert, l'aneth et le curry en poudre. Répartissez cette préparation sur les filets. Mettez à cuire 25 minutes au four, jusqu'à ce que la chair des filets se détache quand vous la piquez avec une fourchette.

VOLAILLES

ESCALOPES DE DINDE GRILLÉES À LA MARMELADE ÉPICÉE

POUR 4 PERSONNES

Vous pouvez tout aussi bien utiliser des tranches d'ananas en boîte pour cette recette – autant d'anneaux égouttés que vous le souhaitez – mais, si vous prenez de l'ananas frais, conservez la couronne pour décorer le centre de votre plat de service. On peut réaliser cette recette au barbecue ou au four, position gril. Servez avec du riz chaud ou froid et une salade.

1 ananas moyen, coupé dans le sens de la longueur
en quartiers non pelés et entaillé
dans le sens de la largeur tous les 2,5 cm
1 orange coupée en tranches de 1,5 cm
20 g de cassonade
225 g de marmelade d'orange
2 cuillères à soupe d'oignon vert finement haché
(parties vertes et blanches)
1/2 cuillère à café d'ail écrasé
1/2 cuillère à café de sauce au piment (page 96)
1 pincée de racine de gingembre hachée
1/2 cuillère à café de sauce Worcestershire
1/2 cuillère à café d'huile végétale
sel et poivre noir fraîchement moulu
4 escalopes de dinde, d'environ 1,5 cm d'épaisseur

Environ 1 heure avant de servir, préparez votre barbecue. Saupoudrez de cassonade les tranches d'ananas et d'oranges.

Dans un petit bol, mélangez la marmelade, l'oignon vert, l'ail, la sauce au piment, la racine de gingembre, la sauce Worcestershire, l'huile, le sel et le poivre.

Disposez les escalopes et les fruits sur votre barbecue, à chaleur moyenne. Faites cuire 5 à 7 minutes, en badigeonnant fréquemment les escalopes de marmelade épicée ; retournez de temps en temps les fruits et les escalopes, jusqu'à ce que celles-ci commencent à perdre leur teinte rosée.

Si vous utilisez le gril du four, préchauffez-le. Préparez la marmelade comme indiqué ci-dessus et disposez l'ananas, chair en l'air, sur une grille ou dans un grand plat allant au four. Mettez ce plat aussi prêt que possible de la résistance et laissez griller 5 à 7 minutes jusqu'à ce que le fruit dore et grésille. Sortez l'ananas du four, posez–le dans un plat et gardez au chaud.

Disposez les escalopes de dinde sur la grille dans le four en les mettant aussi près que possible de la résistance ; laissez griller 5 à 7 minutes en arrosant régulièrement de marmelade épicée ; retournez-les une fois, laissez cuire jusqu'à ce qu'elles perdent leur teinte rosée.

POULET AU RHUM ET AU MIEL, SAUCE AUX CHAMPIGNONS
POUR 4 PERSONNES

En accompagnement, servez des légumes cuits à la vapeur, des pâtes ou du riz.

4 gros blancs de poulet
50 ml de jus d'orange
1 cuillère à soupe de miel
20 g de beurre clarifié
2 gousses d'ail écrasées
100 g de champignons de Paris émincés
100 g de pleurotes émincées
225 ml de rhum ambré
450 ml de bouillon de volaille
sel et poivre noir du moulin
100 ml de crème liquide
2 œufs battus
2 cuillères à soupe de coriandre fraîche
garniture éventuelle : tranches d'orange

Piquez les blancs de poulet avec la pointe d'un couteau. Mélangez le jus d'orange et le miel, et faites macérer le poulet dans cette marinade pendant 20 minutes. Dans une grande poêle à fond épais, faites revenir les blancs dans 15 g de beurre clarifié. Réservez.

Faites fondre les 5 g de beurre restants dans la poêle, et faites frire l'ail et les champignons pendant 1 minute. Versez le rhum et flambez. Ajoutez le bouillon de poulet et les blancs, salez et poivrez. Faites cuire 30 minutes à feu doux. Juste avant de servir, battez la crème avec les œufs et versez dans la poêle. Faites mijoter pendant 1 minute. Ajoutez la coriandre, vérifiez l'assaisonnement et laissez cuire encore 1 minute. Décorez éventuellement le plat de service avec des tranches d'orange.

Ragoût de poulet de Trinidad.

RAGOÛT DE POULET DE TRINIDAD
POUR 4 À 6 PERSONNES

2 cuillères à soupe de jus de citron vert
1 oignon moyen haché
1 grosse tomate coupée en 8 quartiers
1 branche de céleri hachée
1 cuillère à soupe d'oignon vert haché
3 cuillères à soupe de coriandre fraîche émincée
1 gousse d'ail hachée
1 pincée de thym déshydraté, émietté
1 cuillère à café de sel
1 pincée de poivre noir fraîchement moulu
1 cuillère à soupe de vinaigre de vin blanc
2 cuillères à soupe de sauce Worcestershire
1 poulet de 750 g à 1 kg détaillé en morceaux
2 cuillères à soupe d'huile végétale
25 g de cassonade
2 cuillères à soupe de ketchup
225 ml d'eau
225 g de chou émincé (facultatif)

Pour la décoration
feuilles de céleri (facultatif)
rondelles de citron vert (facultatif)

Dans un grand saladier, mélangez le jus de citron vert, l'oignon, la tomate, le céleri, l'oignon vert, la coriandre, l'ail, le thym, le sel, le poivre, le vinaigre et la sauce Worcestershire. Ajoutez les morceaux de poulet, mélangez et laissez macérer au réfrigérateur, couvert, toute la nuit.

Dans une casserole à large fond, faites chauffer l'huile à feu moyen, jusqu'à ce qu'elle soit chaude mais ne fume pas, et ajoutez le sucre. Quand cette préparation commence à bouillonner, sortez les morceaux de poulet de la marinade avec une écumoire et mettez-les dans la casserole. Réservez la marinade.

Faites cuire le poulet en retournant régulièrement les morceaux jusqu'à ce qu'ils soient bien dorés ; déposez-les sur du papier absorbant. Versez dans la casserole, dont vous aurez renouvelé l'huile, la marinade, le ketchup et l'eau et remettez le poulet.

Portez le tout à ébullition et laissez mijoter 30 minutes, à couvert, en remuant de temps en temps. Ajoutez le chou émincé, si vous en utilisez, et laissez mijoter 15 à 20 minutes supplémentaires, jusqu'à ce que les morceaux les plus épais du poulet soient bien cuits.

Décorez de feuilles de céleri ou de rondelles de citron vert si vous le désirez.

POULET CARIBÉEN À LA NOIX DE COCO
POUR 4 PERSONNES

4 blancs de poulet, désossés, coupés en deux,
sans la peau et dégraissés
2 cuillères à soupe d'huile végétale
1 gros poivron rouge doux, vidé, épépiné et coupé en dés
1 gros poivron vert doux vidé, épépiné et coupé en dés
1 gros oignon haché
1 gousse d'ail écrasée
50 g de lamelles de noix de coco grillées, non sucrées
2 cuillères à café d'écorce de citron vert râpée
sel
25 g de beurre doux ou de margarine
1 pointe de paprika doux
1 goutte de sauce au piment (page 96)
1 cuillère à soupe de jus de citron vert
1 cuillère à soupe de confiture d'abricot
coriandre fraîche pour décorer (facultatif)

Préchauffez votre four à 180 °C, thermostat 4. Entre deux feuilles de film plastique pilonnez la viande en escalopes de 8 mm d'épaisseur ; réservez. Mettez l'huile à chauffer à feu moyen dans une grande poêle à frire ; faites revenir les poivrons, l'oignon et l'ail pendant 10 minutes, en remuant fréquemment, pour les faire légèrement ramollir. Sortez du feu. Dans le même récipient, versez la noix de coco, l'écorce de citron vert et le sel, à volonté.

Versez environ un huitième de la préparation de légumes au centre de chaque blanc de poulet escalopé. Enveloppez la farce en roulant les escalopes et maintenez-les à l'aide d'une pique à cocktail. Mettez le beurre ou la margarine dans un plat à rôtir et faites fondre à feu moyen. Déposez-y les suprêmes de poulet, côté ouvert vers le bas. Dans un petit bol, mélangez le paprika, la sauce au piment et la moitié d'une cuillerée à café de sel ; répartissez ce mélange sur le poulet. Laissez cuire 25 à 30 minutes, jusqu'à ce que le poulet soit bien cuit et qu'un jus clair s'écoule lorsque vous percez les suprêmes avec la lame d'un couteau. Sortez les suprêmes et déposez-les sur une planche à découper.

Versez le jus de citron vert et la confiture d'abricot dans le jus de cuisson du plat à rôtir et portez à ébullition, en remuant pour détacher du fond les petits morceaux grillés et tous les sucs. Sortez du feu.

Enlevez les piques des suprêmes de poulet que vous couperez en tranches de 1, 5 cm d'épaisseur. Dressez sur un plat de service et nappez de sauce. Décorez de coriandre fraîche si vous le désirez.

POULET FRIT À LA CUBAINE
POUR 4 À 6 PERSONNES

La nourriture cubaine n'est pas épicée mais raisonnablement assaisonnée et parfumée. Si vous souhaitez ajouter un peu de piment à cette recette – une tradition culinaire en République dominicaine et à Porto Rico –, hachez un petit piment et ajoutez-le au moment de verser la marinade dans votre faitout.

6 grosses cuisses entières de poulet avec leur pilon,
ou 4 gros blancs de poulet, avec ou sans les ailes
2 gousses d'ail finement hachées
1 grosse pincée de sel
1 pincée de poivre noir fraîchement moulu
1 pointe d'origan
1 pointe de cumin moulu
100 ml de jus d'orange de Séville ou
50 ml de jus d'orange mélangé à 50 ml de jus de citron vert
1 gros oignon émincé
50 ml d'huile végétale

Disposez le poulet en une seule couche dans un grand plat allant au four. Mélangez l'ail, le sel, l'origan, le cumin, le poivre et le jus d'orange. Répartissez ce mélange sur le poulet. Tapissez avec l'oignon émincé, couvrez et laissez mariner au moins 2 heures ou toute une nuit au réfrigérateur, en remuant de temps en temps. Sortez votre plat du réfrigérateur, une heure avant la cuisson. Égouttez le poulet, séchez-le sur du papier absorbant et réservez votre marinade.

Dans une grande poêle à frire, faites chauffer l'huile végétale à feu moyen.

Déposez-y les cuisses de poulet et faites-les frire 5 minutes de chaque côté jusqu'à ce qu'elles soient dorées. Ajoutez la marinade et les oignons. Baissez le feu et laissez cuire 25 minutes.

SAUTÉ DE POULET À LA COMPOTE DE PAPAYE
POUR 4 PERSONNES

4 gros blancs de poulet, désossés, sans leur peau,
coupés en filets de 1 cm d'épaisseur
50 g de curry en poudre
50 g de beurre clarifié
1 papaye mûre, pelée, sans les graines (réservées),
coupée en gros morceaux de 2 cm
2 bananes coupées en tranches de 8 mm
25 g de lamelles de noix de coco sans sucre et grillées
100 ml de rhum ambré
75 g de crème de noix de coco
1 pincée de sel
1 pincée de poivre blanc

Saupoudrez vos filets de poulet de poudre de curry. Mettez le beurre clarifié à fondre dans une grande poêle à frire à feu vif. Déposez-y le poulet et faites-le sauter jusqu'à ce qu'il dore. Ajoutez la papaye, la banane et les lamelles de noix de coco. Versez le rhum et faites flamber jusqu'à ce que tout l'alcool s'évapore.

Ajoutez la crème de noix de coco, faites mijoter pour réchauffer la préparation ; salez et poivrez. Remuez énergiquement et servez immédiatement, accompagné d'une salade verte glacée, assaisonnée de votre vinaigrette favorite et agrémentée de graines de papaye.

POULET AIGRE-DOUX ÉPICÉ

POUR 4 PERSONNES

175 g de marmelade d'orange
100 ml de jus de citron vert
1 cuillère à café de racine de gingembre hachée
1 cuillère à café de noix muscade moulue
1 goutte de sauce au piment (page 96)
1 cuillère à soupe d'huile végétale
4 gros blancs de poulet (environ 750 g), désossés,
sans la peau, dégraissés et coupés en dés de 2,5 cm
1 papaye moyenne, égrainée, coupée en deux
puis en dés de 2,5 cm
175 g de châtaignes d'eau en boîte, émincées, égouttées
15 g de coriandre fraîche, hachée

Dans une petite casserole, faites fondre la marmelade à petit feu, et incorporez progressivement le jus de citron vert, le gingembre, la noix muscade et la sauce au piment. Dans une grande poêle à frire, faites chauffer l'huile et mettez les dés de poulet à dorer. Ajoutez la papaye et remuez quelques minutes; incorporez la sauce et les châtaignes d'eau. Laissez cuire à feu moyen 3 à 4 minutes jusqu'à ce que le poulet soit cuit à point. Goûtez la sauce et assaisonnez de piment, à volonté. Dressez dans un plat à service et décorez de coriandre.

GRILLADES ÉPICÉES

POULET FAÇON BOUCANIER
POUR 4 À 6 PERSONNES

Cette recette utilise une pâte pimentée classique – un mélange d'épices, de sucre roux et de piment, badigeonné sur le poulet pour relever le plat. Le seul point commun de cet assaisonnement traditionnel avec les autres recettes est l'utilisation du piment *habanero*, extrêmement fort, et du piment dit *Scotch Bonnet*.

*4 baies de piment de la Jamaïque, broyées,
ou 1 cuillère à café de piment de la Jamaïque moulu
6 gousses d'ail écrasées
2 cuillères à soupe de racine de gingembre épluchée et hachée
25 g de cassonade
3 cuillères à soupe de moutarde de Dijon
1 cuillère à café de cannelle moulue
3 cuillères à soupe de piments frais, sans les queues,
égrainés et hachés
sauce au piment (page 96) à volonté
100 ml d'huile d'olive
2 oignons verts émincés
50 ml de vinaigre de cidre
2 cuillères à soupe de jus de citron vert
sel et poivre noir fraîchement moulu
1 poulet de 1,4 kg à 1,6 kg détaillé,
ou 6 grosses cuisses entières ou 4 gros blancs*

Broyez le piment frais dans le bol mixeur de votre robot. Ajoutez le piment de la Jamaïque, l'ail, le gingembre, le sucre, la moutarde, la cannelle, la sauce au piment, l'huile d'olive, l'oignon vert, le vinaigre et le jus de citron vert; mixez jusqu'à obtention d'une pâte onctueuse. Salez et poivrez, à volonté, et mixez à nouveau.

Séparez le haut des cuisses des pilons du poulet. Coupez les blancs en deux, dans le sens de la largeur, sans détacher les ailes. Décollez doucement la peau de façon à mettre la chair à vif; badigeonnez-la avec la pâte pimentée. Enduisez ensuite la peau du poulet. Protégez d'un film fraîcheur et mettez 2 heures au réfrigérateur.

Faites cuire le poulet au barbecue ou au gril pendant 40 minutes à température moyenne, en retournant les morceaux une seule fois, jusqu'à ce que la peau soit bien grillée et croustillante.

Si vous utilisez un barbecue, disposez les morceaux de poulet sur un côté de la grille, de façon à ce que la viande ne soit pas en contact direct avec la braise; couvrez et laissez cuire 40 à 50 minutes.

Si vous utilisez le four, préchauffez-le à 180°C, thermostat 4. Faites cuire le poulet 50 minutes, puis mettez-le sous le gril, 2 à 3 minutes de chaque côté, jusqu'à ce que la peau soit bien grillée et croustillante.

MÉLASSE AUX ÉPICES PRÊTE À L'EMPLOI

POUR 4 À 6 PERSONNES

La mélasse, qui n'est pas aussi douce que le sucre, enrichit ce plat d'une saveur subtile et le colore de nuances acajou. Dans cette recette, l'assaisonnement aux épices se fait sous la peau, aussi la sauce présentée plus bas est particulièrement adaptée à cette préparation. Le poulet peut être cuisiné un jour à l'avance, couvert et mis au réfrigérateur.

2 1/2 cuillères à soupe de vinaigre de cidre
1 1/2 cuillère à soupe
de sauce Worcestershire
3/4 cuillère à soupe de mélasse
3/4 cuillère à soupe de racine de gingembre râpée
3/4 cuillère à café de sauce au piment (page 96)
2 gousses d'ail, finement hachées
1 oignon moyen, finement haché
2 petites olives vertes,
coupées en tranches (facultatif)
3/4 cuillère à café de piment de la Jamaïque moulu
3/4 cuillère à café de cannelle moulue
3/4 cuillère à café de sel
3/4 cuillère à café de poivre noir fraîchement moulu
1 poulet de 1,4 kg à 1,6 kg, désossé
ou 6 grosses cuisses entières ou 4 gros blancs

Mettez le vinaigre, la sauce Worcestershire, la mélasse, le gingembre, la sauce au piment, l'ail, l'oignon, les olives, le piment de la Jamaïque, la cannelle, le sel et le poivre dans un sac en plastique solide. Secouez énergiquement pour bien mélanger tous les ingrédients de cette marinade.

Décollez doucement la peau des morceaux de poulet, sans la détacher complètement. Mettez le poulet dans le sac en plastique, évacuez l'air et fermez hermétiquement. Laissez mariner au réfrigérateur au moins 2 heures ou toute une nuit.

Préchauffez votre four à 200 °C, thermostat 6. Sortez le poulet de son sac et recollez la peau sur la chair du poulet. Mettez de côté le reste de marinade. Disposez le poulet en une seule couche dans un plat résistant à la chaleur. Faites cuire au four 40 minutes, jusqu'à ce que la peau grésille et que le jus du poulet qui s'écoule, lorsque vous le piquez avec une fourchette, soit clair. Si vous préparez le poulet à l'avance, conservez-le au réfrigérateur. Pour le réchauffer, laissez-le à température ambiante puis remettez-le au four à 190 °C, thermostat 5, pendant 30 minutes, recouvert d'une feuille de papier aluminium. Si nécessaire, placez le poulet sous le gril chaud 1 minute, jusqu'à ce que la peau croustille.

La profusion naturelle de noix de coco sur les îles fait que le lait
et la chair de ce fruit sont largement exploités dans toute une gamme de plats et de boissons.

POULET MAIGRE SANS PEAU AUX ÉPICES
POUR 4 PERSONNES

Cette recette, peu relevée, alterne les saveurs du sucre et des épices. Servez avec du riz aux pois d'angole (page 117).

2 cuillères à soupe d'oignons hachés
4 cuillères à café de thym frais
ou 1 cuillère à café de thym déshydraté
2 cuillères à café de sel
2 cuillères à café de noix muscade moulue
4 cuillères à café de sucre
2 cuillères à café de poivre noir fraîchement moulu
4 blancs de poulet de 175 g, sans la peau et dégraissés
15 g de beurre doux ou de margarine
1 cuillère à soupe d'huile

Mélangez l'oignon, le thym, le sel, la noix muscade, le sucre et le poivre noir dans un petit bol ou dans le bol mixeur de votre robot. Piquez plusieurs fois les blancs avec la pointe d'un couteau et posez-les dans un récipient inoxydable ; badigeonnez la préparation sur toutes les faces de chaque blanc. Couvrez et laissez 20 minutes au réfrigérateur.

Faites chauffer le beurre, ou la margarine, et l'huile dans une poêle à frire et disposez les blancs, en une seule couche. Laissez frire doucement, 5 à 10 minutes de chaque côté, selon l'épaisseur des blancs. Le poulet est à point quand le jus qui s'en écoule est clair.

POULET FRIT PANÉ

POUR 4 PERSONNES

Les Bajans badigeonnent d'assaisonnement aux épices les découpes du poulet quand il est bouilli ; puis ils les panent et les font frire. Je vous suggère de faire tout d'abord cuire votre poulet au four, ou au four micro-ondes, il sera moins gras qu'un poulet bouilli.

4 blancs de poulet
3 cuillères à soupe de piments frais, sans les queues,
égrainés et finement hachés
6 oignons verts, finement hachés avec leur bulbe
3 gousses d'ail émincées
2 cuillères à soupe de jus de citron vert
2 cuillères à soupe de coriandre fraîche, hachée
1 cuillère à soupe de ciboulette fraîche, hachée
1/2 cuillère à café de clous de girofle moulus
1 pincée de thym
1 pincée de marjolaine
1 pointe de paprika
1/2 cuillère à café de poivre noir fraîchement moulu
1 œuf
1 cuillère à soupe de sauce au soja
1 cuillère à soupe de sauce au piment (page 96)
farine pour saupoudrer
350 g de chapelure
huile végétale pour la friture

Faites cuire les blancs de poulet au four, ou au micro-ondes, jusqu'à ce qu'ils soient tendres. Si vous utilisez le micro-ondes, recouvrez les blancs de papier sulfurisé et laissez cuire, à température maximum, 13 à 15 minutes, jusqu'à ce que la chair ne soit plus rosée ; retournez les blancs toutes les 5 minutes. Si vous utilisez le four, préchauffez-le à 180 °C, thermostat 4 ; enduisez les blancs de poulet d'huile végétale ou de beurre clarifié et posez-les dans un plat allant au four peu profond. Faites cuire jusqu'à ce que la chair soit tendre, environ 30 minutes. Réservez au frais.

Mélangez le piment, l'oignon vert, l'ail, le jus de citron vert, la coriandre, la ciboulette, le clou de girofle, le thym, la marjolaine, le paprika et le poivre noir. Incisez profondément la chair des blancs et remplissez du mélange.

Battez l'œuf, la sauce au soja et la sauce au piment. Saupoudrez légèrement les blancs de farine, plongez-les dans la préparation à l'œuf et roulez-les dans la chapelure.

Mettez l'huile à chauffer (190 °C) et faites frire les blancs de poulet jusqu'à ce qu'ils soient bien dorés, environ 4 minutes de chaque côté. Dégraissez sur du papier absorbant et servez immédiatement.

BEIGNETS DE POULET McJERK

POUR 4 PERSONNES

Servez ce plat avec du riz ou des pâtes, les enfants apprécieront tout particulièrement. Vous pouvez aussi couper les beignets en quatre, quand ils sont froids, et les incorporer à une salade verte.

1 kg de cuisses de poulet et/ou des blancs de poulet,
sans la peau et coupés en dés de 5 cm
3 cuillères à soupe plus 1 à 2 cuillères à café
d'un des assaisonnements aux épices de la page 92,
ou un assaisonnement aux épices tout prêt

Nettoyez et séchez les dés de poulet sur du papier absorbant. Placez-les dans un récipient et badigeonnez-les de l'assaisonnement aux épices. Transférez les dés dans un sac en plastique résistant, que vous fermerez hermétiquement, ou dans un plat inoxydable, couvert ; laissez macérer au moins une heure ou toute une nuit au réfrigérateur.

Préchauffez votre four à 180 °C, thermostat 4. Posez les dés de poulet dans un plat à rôtir et faites cuire, couvert, environ 45 minutes, jusqu'à ce que la viande soit à point, sans oublier de retourner, à moitié cuisson.

Juste avant de sortir le poulet du four, mélangez 1 à 2 cuillerées à café de l'assaisonnement aux épices avec du jus de cuisson et un peu d'eau pour délayer, si nécessaire, la sauce. Arrosez-en les dés de poulet et servez.

CÔTELETTES DE PORC AUX ÉPICES VITE FAITES

POUR 4 PERSONNES

Ce plat peut se préparer en un rien de temps. Faites mariner les côtelettes toute une nuit, vous n'aurez plus, le lendemain, qu'à les mettre sur le barbecue ou sous le gril. On peut utiliser le même assaisonnement avec des côtelettes d'agneau, des blancs de poulet ou une entrecôte. Servez avec une salade de tomates et de concombres et du riz à la noix de coco... vous découvrirez alors toutes les saveurs des Îles.

3 piments frais sans les queues, égrainés et hachés
50 g de baies fraîches de piment de la Jamaïque
ou 3 cuillères à soupe de piment de la Jamaïque en poudre
3 cuillères à soupe de jus de citron vert
2 cuillères à soupe d'oignon vert haché

1 cuillère à café de sauce au piment (page 96)
1 cuillère à café de cannelle moulue
1 cuillère à café de noix muscade moulue
4 côtelettes de porc

Dans le bol mixeur de votre robot, broyez le piment frais, le piment de la Jamaïque, le jus de citron vert, l'oignon vert, la sauce au piment, la cannelle et la muscade pour obtenir une pâte épaisse. Badigeonnez les côtelettes de ce mélange et laissez mariner au réfrigérateur, 1 heure ou plus. Faites griller les côtelettes au charbon de bois ou sous un gril bien chaud, jusqu'à ce qu'elles soient cuites à point. L'assaisonnement aux épices fera légèrement brunir la viande.

CÔTELETTES DE PORC RELEVÉES
SAUCE AVOCAT
POUR 4 PERSONNES

225 ml de bière
20 g de basilic frais émincé
50 ml de jus de citron vert frais
2 cuillères à soupe
+ un soupçon de sauce au piment (page 96)
1 1/2 cuillère à café de moutarde en poudre
1/2 cuillère à café de pâte épicée (page 92) ou du sel
2 gousses d'ail émincées
4 côtelettes de porc dans le filet, de 150 g et de 1, 5 cm
d'épaisseur, dégraissées
25 g + 2 cuillères à café de cassonade
2 cuillères à soupe de moutarde à gros grains
1 cuillère à soupe + un soupçon de vinaigre de cidre
1 1/2 cuillère à café de mélasse
huile végétale

Sauce
1 avocat, mûr, épluché, dénoyauté et grossièrement haché
1 cuillère à soupe de jus de citron vert
1 pointe de piment rouge en poudre
1 pointe d'ail émincé
1 pincée de sel
2 cuillères à soupe de mayonnaise

Dans un grand sac plastique, mélangez la bière, le basilic, le jus de citron vert, 2 cuillerées à soupe de sauce au piment, la moutarde en poudre, la sauce barbecue ou le sel, et l'ail. Mettez les côtelettes de porc et fermez hermétiquement le sac ; laissez 8 heures au réfrigérateur ; secouez le sac de temps en temps.

Dans une petite casserole, mélangez la cassonade, la moutarde en grains, le vinaigre, la mélasse et un soupçon de sauce au piment. Portez à ébullition et réduisez aussitôt le feu. Laissez mijoter 2 minutes à découvert. Réservez.

Badigeonnez d'huile la grille de votre barbecue et posez-la sur les braises pas trop vives ; au four, réglez le gril à température moyenne. Sortez la viande du sac et jetez la marinade. Placez les côtelettes sur la grille et faites-les cuire 5 minutes. Retournez-les et badigeonnez-les du mélange de cassonade. Laissez cuire à peu près 5 minutes ou plus, selon vos goûts.

Dans un mixer ou un robot ménager, réduisez en purée l'avocat avec le jus de citron vert, le piment rouge en poudre, l'ail, le sel et la mayonnaise jusqu'à obtention d'un mélange onctueux.

PORC CRÉOLE
POUR 4 PERSONNES

Voici un plat succulent et bien relevé. S'il vous reste de la viande, mettez-la au réfrigérateur ou au congélateur ; vous pourrez toujours utiliser la viande pour d'autres recettes : des salades (page 39), des amuse-gueules, sandwiches ou canapés (page 29).

1 cuillère à soupe de condiment pimenté (page 92)
ou une sauce barbecue toute prête
750 g à 1 kg de filet de porc, dégraissé
350 ml de bouillon de volaille

Badigeonnez la viande de sauce barbecue. Posez-la dans un plat en la protégeant avec un film fraîcheur et laissez mariner 2 à 3 heures au réfrigérateur.

Préchauffez votre four à 180 °C, thermostat 4. Dans une grande poêle à frire mettez l'huile à chauffer à feu vif, environ 3 minutes. Posez la viande et faites-la dorer des deux côtés ; transférez dans un plat à rôtir, en ajoutant le bouillon de volaille. Laissez griller la viande 25 à 30 minutes environ, en la retournant de temps en temps ; arrosez régulièrement de bouillon de volaille. L'intérieur de la viande doit être à peine rosé. Coupez en tranches épaisses de 1, 5 cm et servez.

CÔTELETTES DE PORC AU CURRY SUR RIZ PILAF

POUR 4 PERSONNES

Voici une grillade très fine pour accompagner un riz au curry. Complétez ce repas, qui peut être préparé en moins d'une demi-heure, par une salade composée.

200 g de riz long blanc
2 cuillères à soupe d'huile végétale
175 g de raisins de Corynthe
1 pointe de cumin moulu
1 pincée de sel
1 pincée de poivre noir fraîchement moulu
275 ml de bouillon de volaille
50 ml d'eau
1 1/2 cuillère à café de curry en poudre
1 pointe de cannelle moulue
1 pointe de piment rouge en poudre
8 côtelettes de porc bien fines (1 kg en tout)

Faites sauter le riz dans une casserole, avec 1 cuillerée à soupe d'huile pendant 2 à 3 minutes, jusqu'à ce qu'il soit doré. Ajoutez les raisins, une pincée de cumin, le sel et le poivre. Faites cuire une minute. Versez le bouillon et l'eau. Laissez mijoter, à couvert, jusqu'à ce que le riz absorbe le liquide, soit 15 à 20 minutes.

Entre-temps, mélangez le curry en poudre, le reste de cu-min, la cannelle et le piment rouge. Badigeonnez les côtelettes de porc de ce mélange.

Mettez le reste d'huile dans deux grandes poêles à frire ; faites chauffer à feu moyen. Déposez à part égale les côtelettes et faites cuire, à couvert, 3 minutes de chaque côté jusqu'à ce qu'elles soient cuites à point. Vous pouvez également faire cuire les côtelettes en deux étapes dans une seule poêle, tout en gardant le premier bain chaud. Servez avec le riz.

CÔTELETTES DE PORC AU GINGEMBRE
ET AU CURRY DE MANGUE
POUR 6 PERSONNES

Ce plat complet, aux saveurs mêlées de fruits et d'épices, sera meilleur servi avec des accompagnements simples, un riz blanc ou des haricots noirs. Une salade créole aux épinards (page 40) l'enrichira de couleurs et de consistance contrastées.

6 côtelettes de porc dans le filet, de 2,5 cm d'épaisseur,
dégraissées
1 cuillère à café de gingembre râpé ou de gingembre moulu
3 gousses d'ail écrasées
100 ml de xérès ou de vin blanc sec
175 g de marmelade de gingembre
ou de marmelade d'orange
50 ml de sauce au soja
2 cuillères à soupe d'huile de sésame

Curry de mangue
2 mangues coupées en petits morceaux
(ou des mangues en boîte, non sucrées, ou 4 nectarines)
25 g de beurre doux ou de margarine, fondu
50 g de cassonade
1 cuillère à 1 1/2 cuillère à café de curry en poudre

Préparez d'abord le curry de mangue. Préchauffez votre four à 180 °C, thermostat 4. Placez les mangues égouttées dans une terrine. Mélangez le beurre ou la margarine, le sucre et le curry en poudre ; versez sur les mangues. Laissez cuire au four environ 30 minutes. Gardez au chaud jusqu'à ce que les côtelettes de porc soient cuites.

Avec une pointe de couteau, faites 6 incisions d'au moins 8 mm de profondeur sur le côté des côtelettes. Préparez une pâte avec le gingembre et l'ail ; badigeonnez-en l'intérieur de la viande, des deux côtés ; enduisez du reste de pâte le dessus des côtelettes. Réservez.

Mélangez le xérès ou le vin blanc, la marmelade, la sauce au soja et l'huile de sésame. Versez cette préparation sur les côtelettes. Juste avant de servir, préparez votre barbecue.

Placez un récipient sous la grille. Disposez les côtelettes sur la partie la plus chaude de la grille, à couvert, pendant 15 minutes, en arrosant de temps en temps de sauce ; retournez les côtelettes deux ou trois fois. Vous pouvez également préparer vos côtelettes au four ; faites-les cuire à découvert, à 180 °C, thermostat 4.

HAMBURGER AUX ÉPICES
POUR 4 PERSONNES

Tout le monde aime les hamburgers ; et votre sauce barbecue préférée stimulera la saveur de votre simple steak. Servez entre des petits pains légèrement grillés, avec des assaisonnements variés, des feuilles de laitue, des tranches d'oignon et de tomates mûres.

1 kg de paleron de bœuf, maigre et haché
1/2 cuillère à soupe de sauce barbecue (page 92)
ou de sauce barbecue toute prête
1 goutte de sauce au piment (page 96)
1 cuillère à café de sucre
1 petit oignon haché
2 cuillères à soupe de chapelure
huile végétale

Dans un grand récipient mélangez la viande, la sauce barbecue, la sauce au piment, le sucre, l'oignon et la chapelure. Avec ce mélange, formez de petits steaks ; faites-les bien cuire au barbecue sur une grille légèrement huilée, ou dans une poêle à frire, en les retournant une fois. Si vous le souhaitez, vous pouvez, avant de les retourner, enduire les steaks d'une couche de pâte au piment qui formera en cuisant une croûte légèrement carbonisée.

POISSON FRIT *RUB-A-DUB* (ROULÉ-DOUBLÉ)
POUR 4 À 6 PERSONNES

D'une manière générale, on n'hésite pas à relever les fruits de mer et les poissons, même s'ils sont déjà préparés avec des épices et de la sauce au piment – voir Beignets de lambi aux piments « bonnet écossais » et ses deux sauces fraîches (page 34). Voici pourtant une recette où la sauce barbecue est utilisée de façon traditionnelle – c'est-à-dire en badigeon. Dans cette recette de la Barbade, on utilise de l'exocet, mais rien ne vous empêche de le remplacer par des filets de n'importe quelle autre variété de poisson à chair blanche et ferme – comme la dorade sébaste rose, la perche, le turbot ou la sole.

6 exocets ou filets de poisson
1 petit oignon finement haché
sel
poivre blanc
1 goutte de bitter Angustura
1 gousse d'ail finement émincée

1 brin de thym frais, finement haché
1 brin de marjolaine fraîche, finement hachée
huile végétale
1 cuillère à soupe de rhum ambré
1 œuf
chapelure

Rincez les filets de poisson et égouttez-les sur du papier absorbant. Mélangez l'oignon, le sel, le poivre blanc, le bitter Angustura, l'ail, le thym et la marjolaine. Badigeonnez généreusement de ce mélange les deux côtés des filets de poisson.

Dans une grande poêle à frire pouvant contenir tous les filets (ou dans deux poêles à frire), faites chauffer l'huile à feu moyen. Fouettez le rhum et l'œuf. Plongez-y chaque filet et panez avec la chapelure. Laissez frire les filets, 2 à 3 minutes de chaque côté, jusqu'à ce que la chair du poisson soit cuite à point.

Hamburger aux épices.

Lorsque vous aurez goûté à l'une des recettes détaillées ci-dessous, vous pourrez alors tenter d'autres combinaisons. Les quatre premières sont très simples et n'utilisent que des ingrédients secs. Les deux dernières font intervenir des ingrédients frais, mais seule la dernière recette – Sauce au rhum – exige que les ingrédients soient ajoutés au tout dernier moment, lorsque vous êtes prêt(e) à faire griller votre plat. Les recettes de pâtes épicées ne se préparent qu'en petites quantités – environ 40 g. Lorsque vous en aurez trouvé une à votre goût, préparez-en une quantité suffisante et mettez-la au réfrigérateur, dans un pot fermé hermétiquement. Ces condiments s'accordent avec toutes les viandes, poissons et fruits de mer ; on peut aussi les utiliser dans les salades et les soupes pour les épicer. Elles relèvent également les chips ou les plantains verts frits. Une dernière suggestion : frottez des croûtons avec de l'huile d'olive et badigeonnez-les de pâte épicée.

I TROIS FEUX D'ÉPICES

2 cuillères à café de poudre de piment rouge
1 1/2 cuillère à café de cumin moulu
1/2 cuillère à café de piment de Cayenne
2 cuillères à café de sel

2 LES 4 POIVRES

1 cuillère à soupe de paprika doux
1 cuillère à café d'oignon en poudre
1 cuillère à café d'ail en poudre
1 cuillère à café de piment de Cayenne
1/2 cuillère à café de poivre noir moulu
1/2 cuillère à café de poivre blanc moulu
1/2 cuillère à café de cumin moulu
1 pincée de sel

3 COCKTAIL D'ÉPICES

1 cuillère à soupe 1/4 de paprika doux
1 cuillère à soupe d'ail en poudre
1 cuillère à soupe de poivre noir moulu
1/2 cuillère à soupe de poudre de piment rouge
1/2 cuillère à soupe de thym déshydraté
1/2 cuillère à soupe d'origan déshydraté
1/2 cuillère à soupe d'oignon en poudre

4 INDO-ANTILLAISE

3 cuillères à café de curry en poudre
3 cuillères à café de paprika doux
1 1/2 cuillère à café de cumin moulu
3/4 cuillère à café de piment de la Jamaïque moulu
1/2 cuillère à café de piment rouge en poudre

5 BAJAN FACILE

1 oignon moyen haché
1 gousse d'ail hachée
3 oignons vert hachés, avec les parties vertes
1 petit morceau de piment, haché
1 cuillère à café de coriandre fraîche
1 cuillère à café de thym émietté
1 brin de marjolaine
1 pointe de piment de la Jamaïque
1 pincée de sel
poivre noir fraîchement moulu
1 goutte de sauce Worcestershire

6 SAUCE BARBECUE AU RHUM

2 cuillères à soupe d'ail en poudre
2 cuillères à café de gingembre moulu
2 cuillères à café de piment de la Jamaïque moulu
1/2 cuillère à café de cannelle moulue
1/2 cuillère à café de noix muscade moulue
2 cuillères à café de sel
3 feuilles de laurier, émiettées
2 cuillères à café de poivre de Cayenne
100 ml de jus de citron vert frais
1 oignon moyen, émincé
225 ml de rhum ambré
150 g de cassonade

Mélangez l'ail, le gingembre, le piment de la Jamaïque, la cannelle, la noix muscade, le sel, le laurier et le piment ; mettez au réfrigérateur dans un pot bien fermé. Lorsque le barbecue est prêt, mélangez cette préparation avec le jus de citron vert, l'oignon, le rhum et le sucre. Laissez mariner la viande au moins 2 heures au réfrigérateur, et badigeonnez-la fréquemment de sauce pendant la grillade.

DEUX SAUCES « EN SAUPIQUET »

SAUCE AIGRE-DOUCE
POUR 450 ML

Ce mélange tropical, peu ordinaire, est un accompagnement adapté à toutes les grillades, aussi bien à la volaille qu'au porc et au gibier. Cette sauce peut se garder environ 6 semaines au réfrigérateur, dans un récipient fermé hermétiquement.

2 cuillères à soupe d'huile végétale
1 oignon moyen, grossièrement haché
3 bananes mûres (environ 450 g),
coupées en tranches de 1,5 cm
175 ml de nectar de goyave
50 ml de jus d'orange frais
1 cuillère à soupe de cassonade
1 1/2 cuillère à café de curry en poudre
1 cuillère à soupe de vinaigre blanc
2 cuillères à soupe de jus de citron vert
sel et poivre noir fraîchement moulu

Dans une casserole moyenne, inoxydable, faites chauffer l'huile à feu doux. Mettez l'oignon et laissez cuire, 5 à 7 minutes environ, jusqu'à ce qu'il ramollisse. Ajoutez les bananes et laissez cuire, 5 minutes, en remuant fréquemment. Incorporez le nectar de goyave, le jus d'orange, le sucre, le curry en poudre et la moitié d'une cuillère à soupe de vinaigre.

Portez à ébullition à feu vif. Baissez le feu et laissez mijoter doucement, 10 minutes environ, jusqu'à obtention d'une pâte épaisse, de la consistance d'une compote de pommes.

Sortez du feu, ajoutez le reste de vinaigre et le jus de citron vert. Salez et poivrez à volonté. Servez chaud ou à température ambiante.

On utilise les fruits à toutes les sauces… ils sont à la fois ingrédients et éléments de décoration.

SAUCE AIGRE AU TAMARIN
POUR 350 ML

Cette sauce, qui taquine le palais, contraste délicieusement avec la saveur des grillades épicées, des rôtis de veau ou de porc.

450 ml de jus de tamarin (page 17)
50 g de pulpe de tamarin égouttée
450 ml de bouillon de volaille
50 ml de xérès
1 cuillère à café de farine de maïs
1 cuillère à soupe d'eau fraîche

Dans une casserole moyenne, mélangez le jus de tamarin et la pulpe à feu doux. Laissez mijoter 20 minutes, en remuant de temps en temps. Ajoutez le bouillon de volaille et le xérès ; laissez cuire 25 minutes supplémentaires. Passez la sauce pour enlever la pulpe.

Mélangez la farine de maïs et l'eau froide. Ajoutez à la préparation au tamarin et remuez. La sauce doit avoir la consistance d'une crème au citron.

VIANDES

BOULETTES DE PORC CROQUANTES ET LEURS SAUCES AU PIMENT
POUR 4 À 6 PERSONNES

À Haïti, on appelle ces succulentes boulettes des *griots*; à Cuba, elles portent le nom de *masas de puerco* et à Trinidad, on les mentionne dans un plat appelé porc à l'ail. La marinade permet d'attendrir la viande et, après l'avoir laissé mijoter, elle se couvre d'une délicieuse croûte brune, pareille à celle des viandes grillées au barbecue. Servez avec la sauce de votre choix (page 96) et/ou avec des sauces caribéennes épicées, toutes prêtes. (Lorsque vous aurez découvert la recette de votre sauce préférée, préparez-en suffisamment; vous pourrez l'utiliser dans n'importe quelle recette de ce livre exigeant un assaisonnement épicé.) Pour accompagner les plats relevés, je vous conseille une salade verte bien fraîche, une soupe glacée ou encore une salade de haricots.

1,4 kg de filet de porc, coupé en morceaux de 1/2 cm
1 gros oignon finement haché
1/2 cuillère à café de thym déshydraté
225 ml de jus d'orange de Séville ou
100 ml de jus d'orange + 100 ml de jus de citron vert
1 piment frais haché
2 gousses d'ail émincées
100 ml d'huile d'arachide
poivre noir fraîchement moulu à volonté
sel à volonté
1 pointe de cannelle moulue
1/2 cuillère à café de cumin moulu

Dans un plat en verre ou un saladier, mélangez les morceaux de porc avec l'oignon, le thym, le jus d'orange, le piment, l'ail, le poivre et le sel. Couvrez et laissez au réfrigérateur 6 à 8 heures. Transférez ensuite dans une grande poêle à frire, ou une casserole, ajoutez de l'eau fraîche pour recouvrir la viande et laissez cuire à feu doux jusqu'à ce que le liquide commence à bouillir. Baissez le feu et faites mijoter 1 heure, jusqu'à ce que la viande soit bien cuite. Égouttez la viande et séchez-la sur du papier absorbant. Faites chauffer l'huile dans une poêle à frire et saisissez la viande, en retournant chaque morceau quand il est doré. Servez immédiatement.

UNE SAUCE TRÈS, TRÈS CHAUDE
POUR 450 ML

225 ml de vinaigre
90 ml de jus de citron vert ou de citron
2 oignons finement hachés
6 radis finement hachés
2 gousses d'ail écrasées
2 cuillères à soupe de piment frais, sans les queues,
égrainés et finement hachés
4 cuillères à soupe d'huile d'olive
poivre noir fraîchement moulu et sel à volonté

Mélangez tous les ingrédients dans un récipient inoxydable et servez. Conservez le reste de sauce dans un pot en verre fermé hermétiquement.

SAUCE PAPAYE AU PIMENT
POUR 450 ML

2 cuillères à soupe de piments frais sans les queues,
égrainés et finement hachés
60 g de papaye hachée
60 g de raisins secs
100 g d'oignon finement haché
3 gousses d'ail émincées
1/2 cuillère à café de safran
50 ml de vinaigre de malt

Mélangez tous les ingrédients dans une casserole inoxydable et portez à ébullition, en remuant sans arrêt. Baissez le feu et laissez cuire 5 minutes. Réduisez en purée dans le bol mixeur de votre robot et servez. Conservez le reste de sauce dans un pot en verre bien fermé.

SAUCE CITRON VERT-RAIFORT
POUR 450 ML

40 g de raifort râpé
65 ml de jus de citron vert
65 ml de mayonnaise déjà prête
100 ml de yaourt entier
sel et poivre noir fraîchement moulu

Mélangez les ingrédients, dans le bol inoxydable de votre robot, pendant 1 minute. Mettez au frais toute une nuit (et conservez) dans un pot en verre hermétiquement fermé, ainsi les parfums se mélangeront intimement.

MARMELADE RELEVÉE

175 g de marmelade de citron vert ou d'orange
175 g de raifort râpé

Mélangez progressivement le raifort à la marmelade, jusqu'à ce que le goût vous convienne. Mettez au frais (et conservez) dans un pot en verre fermé hermétiquement.

DÉS DE PORC AU GINGEMBRE SAUCE RAIFORT-CITRON VERT
POUR 8 À 10 PERSONNES

Les grillades de porc trouvent des utilisations multiples dans la cuisine créole. S'il vous reste de la viande, après le plat proposé ici, vous pouvez l'incorporer dans toutes sortes de recettes expliquées dans ce chapitre, comme dans celui des Grillades épicées. Une suggestion : mettez au réfrigérateur les morceaux cuits restants, dans une marinade – par exemple celle utilisée pour les boulettes de porc croquantes et leurs sauces au piment (page 96).

750 g de porc maigre désossé coupé en dés de 2, 5 cm
3 cuillères à soupe de sauce au soja
1 petite gousse d'ail écrasée
1/2 cuillère à café de poivre noir fraîchement moulu

1/2 cuillère à café de sucre
1 cuillère à café de racine de gingembre émincée
1 cuillère à café d'huile d'arachide
sauce citron vert/raifort (page 96)

Mélangez le porc aux autres ingrédients. Mettez le tout dans un saladier en verre ; couvrez et laissez reposer 2 heures, en retournant la viande de temps en temps.

Préchauffez votre four à 170 °C, thermostat 3. Disposez la viande en une seule couche dans un plat allant au four ; laissez rôtir 1 heure, en retournant de temps en temps la viande pendant la cuisson. Servez avec la sauce citron vert-raifort.

RÔTI DE PORC FAÇON PORTORICAINE
POUR 8 À 10 PERSONNES

Voici une façon originale de préparer un morceau de viande peu coûteux : le jambon de porc. Il s'agit là du plat préféré des Portoricains connu sous le nom de *Fabada Asturiana* ; on l'apprécie là-bas pour ses saveurs fortes et épicées, comme on peut le constater dans cette recette. Il existe toutes sortes de plats dans lesquels vous pouvez utiliser les restes de porc – preuve en est ces recettes et celles du chapitre Grillades épicées. Dans cette recette, ajustez le nombre d'oignons et de courges à utiliser au nombre de convives que vous recevez.

1 cuillère à soupe d'ail émincé
3 cuillères à soupe d'huile d'olive
1/2 cuillère à café de feuilles d'origan déshydraté,
finement émiettées
3/4 cuillère à café de cumin moulu
1 cuillère à café de sel
1/2 cuillère à café de poivre noir
4 grosses ciboules hachées
50 g de coriandre fraîche hachée
1 poivron vert doux haché
225 ml de rhum blanc
1 jambon de porc (d'environ 3 kg, avec son os)
2 fois 225 g de pommes de terre bouillies,
coupées chacune dans le sens de la longueur en 8 morceaux
1 à 3 gros oignons rouges, coupés en 8
2 à 4 morceaux de courge verte, de citrouille ou
de calebasse, épluchées et coupées en tranches de 2,5 cm
(facultatif)
2 à 4 courgettes coupées en tranches de 2,5 cm
(facultatif)

Sauce
4 cuillères à soupe de graisse de cuisson
25 g de farine complète
1/2 cuillère à café de poivre noir
900 ml d'eau ou de bouillon de bœuf

Faites sauter l'ail dans l'huile, jusqu'à ce qu'il devienne tendre. Dans le bol mixeur de votre robot, broyez jusqu'à obtention d'une pâte le mélange ail-huile d'olive avec l'origan, le cumin, le sel, le poivre, la ciboule, la coriandre, le poivron vert et le rhum.

Mettez la viande dans un plat allant au four, inoxydable, légèrement plus grand que votre morceau de viande. À l'aide d'un long couteau bien aiguisé, faites une large incision en forme de diamant sur le dessus du jambon, en traversant la couenne, sans toucher la viande. Badigeonnez l'intérieur de la viande de pâte épicée, couvrez et laissez mariner toute une nuit au réfrigérateur.

Réglez votre four à 170 °C, thermostat 3. Sortez la viande et faites-la rôtir 2 heures. Dans le même plat, ajoutez les pommes de terre, les oignons, la courge, si vous en utilisez, et arrosez de graisse de cuisson. Remettez à cuire 1 heure, puis ajoutez les courgettes, si vous en utilisez ; arrosez de graisse de cuisson à nouveau. Continuez la cuisson 45 minutes supplémentaires (la viande doit rôtir au total 32 à 35 minutes pour 450 g de viande) jusqu'à ce que le thermomètre de cuisson, inséré dans la partie la plus épaisse de la viande, indique 85 °C et que les légumes soient tendres.

Sortez le jambon, posez-le sur une planche à découper ; recouvrez d'une feuille d'aluminium (réservez les graisses de cuisson pour la sauce). Laissez reposer 15 minutes avant de couper la viande en tranches. Dressez les légumes dans votre plat de service et couvrez pour les garder chauds.

Si vous avez prévu de garder un peu de viande et de son jus pour préparer d'autres recettes, suivez ces indications : découpez un tiers du jambon et servez avec les légumes, en réservant 225 ml des graisses pour la sauce ; émincez le reste de porc (environ 450 g) en tranches fines que vous congélerez. Détaillez le reste de viande (environ 350 g), couvrez et mettez au frais. Le porc émincé se conservera 2 semaines au congélateur ; le porc détaillé, environ 1 semaine, au réfrigérateur.

Pour préparer la sauce, versez la graisse de cuisson dans une casserole moyenne ; saupoudrez de farine. Fouettez vigoureusement à feu doux, en détachant les petits morceaux brûlés, jusqu'à obtention d'une pâte homogène. Versez l'eau, ou le bouillon de bœuf, progressivement, pour bien lier la sauce. Portez à ébullition, baissez le feu et laissez mijoter 5 minutes, jusqu'à ce que le mélange épaississe, en remuant 2 ou 3 fois.

Mettez au réfrigérateur la moitié de la sauce, dans un pot hermétiquement fermé si vous prévoyez de l'utiliser dans une autre recette.

ÉPAULE DE PORC AILLÉE TAMARINDO
POUR 10 À 12 PERSONNES

Voici un morceau de porc qui pourra être réutilisé dans de nombreuses recettes – la salade tropicale de porc (page 51), par exemple. La sauce orange-curry (page 65) se marie parfaitement avec ce plat.

2,75 kg d'épaule de porc, désossée, roulée et ficelée
8 gousses d'ail moyennes, 2 partagées et 6 écrasées
2 cuillères à café de sel
1 1/2 cuillère à café d'écorce de citron râpée
1 cuillère à soupe de feuilles de thym frais
ou 1 cuillère à café de thym déshydraté, émietté
1 cuillère à café de feuilles d'origan frais
ou 1 cuillère à café d'origan déshydraté, émietté
1/2 cuillère à soupe de coriandre fraîche
50 ml d'huile d'arachide
1 cuillère à soupe de sauce Worcestershire
1 cuillère à soupe de gin
2 cuillères à café de cassonade
225 ml de jus de tamarin (page 17)
3 feuilles de laurier

Pour la décoration
rondelles de tomates (facultatif)
lamelles de poivron doux (facultatif)

Faites 4 profondes incisions dans la viande et insérez les moitiés de gousses d'ail. Dans le bol mixeur de votre robot, broyez l'ail écrasé avec 1 cuillère à café de sel, 1 cuillère à café d'écorce d'orange, le thym, l'origan et la coriandre jusqu'à obtention d'une pâte épaisse. Introduisez ce mélange à l'aide d'une cuillère dans l'ouverture de l'épaule roulée.

Dans un petit bol, mélangez l'huile, la sauce Worcestershire, le gin, le sucre, le reste de sel et l'écorce de citron. Enduisez généreusement la viande de cette sauce. Posez la viande dans un grand plat inoxydable. Faites tremper la feuille de laurier dans le jus de tamarin quelques minutes et versez sur le porc. Couvrez et mettez au réfrigérateur toute une journée, en retournant la viande de temps en temps.

Le lendemain, laissez reposer à température ambiante. Préchauffez votre four à 150 °C, thermostat 2. Exprimez tout le jus de l'épaule et posez-la sur une grille, au-dessus d'un plat à rôtir. Couvrez d'aluminium et laissez griller 30 minutes. Augmentez la chaleur de votre four à 180 °C, thermostat 4, et faites rôtir 1 heure 1/4 supplémentaire, découvert.

Au barbecue, laissez griller le porc 50 minutes, jusqu'à ce qu'il soit doré et croustillant, en le retournant de temps en temps. Transférez dans le plat de service, recouvrez d'aluminium et laissez reposer 20 minutes. (La viande peut finir de cuire dans le four – faites-la rôtir 1 h 15 de plus.) Si vous envisagez d'utiliser la viande dans d'autres préparations, émincez-la et conservez-la selon les indications données dans la recette Rôti de porc façon portoricaine (page 98). Présentez la viande coupée en fines tranches. Décorez de rondelles de tomates et/ou de lamelles de poivron, servez à température ambiante.

JAMBON AU GINGEMBRE GLACÉ AU RHUM
POUR 8 À 10 PERSONNES

Accompagnez ce plat estival d'un vin rosé frais – le bouquet du vin épouse merveilleusement bien la saveur délicatement sucrée du jambon. Vous pouvez réaliser le glaçage sur des tranches de jambon cuit, à l'occasion d'un repas sur le pouce gourmand.

3 à 3,5 kg de jambon fumé
(sans le talon)
2 cuillères à soupe de racine de gingembre râpée
40 g de sucre roux
3 cuillères à soupe de rhum ambré
brins de coriandre pour la décoration
(facultatif)

Préchauffez votre four à 180 °C, thermostat 4. Si le jambon a encore sa peau, détachez-en le plus possible à l'aide d'un couteau bien aiguisé, tout en laissant une couche de gras et un collier de peau autour de l'os. Enlevez le gras, en laissant une fine couche de 8 mm d'épaisseur que vous incisez plusieurs fois. Faites rôtir le jambon 55 minutes dans un plat allant au four.

Mixez le gingembre, le sucre et le rhum. Nappez le jambon de ce mélange et faites cuire 30 à 35 minutes supplémentaires, jusqu'à ce que le glaçage dore et bouillonne. Transférez le jambon dans votre plat de service, décorez de coriandre si vous le souhaitez, et laissez reposer 15 minutes avant de découper.

CÔTELETTES DE PORC À L'ANANAS
POUR 4 PERSONNES

100 ml de jus d'ananas
50 ml de vin blanc sec
1 1/2 cuillère à soupe d'huile d'olive
1 pincée de sel
1 pincée de poivre noir fraîchement moulu
4 côtelettes de porc, sans os
50 g d'oignon haché
1 moitié de piment frais, égrainé et émincé
3 tomates moyennes, ébouillantées,
épluchées, épépinées et hachées
2 cuillères à soupe de coriandre fraîche
1 pointe de cannelle
1 pointe de noix muscade

Pour préparer la marinade, mélangez le jus d'ananas, le vin, la moitié de l'huile, le sel et le poivre noir dans un grand sac en plastique. Mettez-y les côtelettes, fermez hermétiquement le sac après avoir évacué l'air et secouez pour bien enrober la viande. Mettez au réfrigérateur au moins 2 heures ou toute une nuit, en secouant le sac de temps en temps.

Pour préparer la sauce, faites chauffer le restant d'huile dans une petite casserole. Ajoutez l'oignon et le poivron ; faites-les cuire 5 minutes, en remuant fréquemment, jusqu'à ce qu'ils soient tendres. Ajoutez les autres ingrédients et laissez mijoter 3 minutes. Versez la marinade dans la sauce et portez à ébullition, laissez mijoter 10 minutes. Pendant ce temps, faites griller les côtelettes 7 minutes de chaque côté sur un gril électrique ou sur la braise d'un barbecue, jusqu'à ce qu'elles soient bien cuites mais encore juteuses. Servez chaque côtelette avec une dose égale de sauce.

FILETS DE PORC CITRONNÉS, CHUTNEY MANGUE-PAPAYE

POUR 4 À 6 PERSONNES

100 ml de jus d'orange fraîchement pressé
1 cuillère à soupe de jus de citron vert
1 1/2 cuillère à café de sucre
1/2 cuillère à café de sel
1 pointe de piment de la Jamaïque
1 pointe de noix de muscade moulue
1 cuillère à café de racine de gingembre râpée
3 gousses d'ail émincées
225 g de filet de porc
huile végétale
1/2 cuillère à café de cassonade

Chutney mangue-papaye
1 mangue mûre ou 100 g de mangues en boîte,
non sucrées, coupées en petits morceaux
1 papaye mûre ou 2 nectarines ou 75 g de papayes en boîte,
non sucrées, coupées en petits morceaux
1 cuillère à soupe de ciboule
1 cuillère à soupe de jus de citron vert
1 cuillère à soupe de coriandre fraîche hachée
1 cuillère à café de piment haché ou de sauce au piment

Mélangez le jus d'orange, le jus de citron vert, le sucre, le sel, le piment de la Jamaïque, la noix muscade, le gingembre et l'ail dans un grand sac en plastique. Mettez-y le filet de porc, fermez hermétiquement le sac et faites mariner 8 heures au réfrigérateur, en secouant de temps en temps.

Préchauffez votre four à 180°C, thermostat 4. Sortez le filet de porc du sac et réservez la marinade. Mettez la viande sur une grille enduite légèrement d'huile. Placez la grille sur un plat à rôtir peu profond ; versez-y, à hauteur de 1,5 cm, un peu d'eau chaude et la moitié de la marinade réservée. Insérez un thermomètre de cuisson dans la partie la plus charnue de la viande. Laissez cuire 40 minutes, jusqu'à ce que le thermomètre indique 70°C, en arrosant fréquemment du reste de marinade mélangé à la cassonade.

Lorsque la viande est cuite, préparez le chutney. Mélangez la mangue, la papaye, la ciboule, le jus de citron vert, la coriandre et le piment ou la sauce au piment. Mettez au frais et servez avec le filet de porc.

RAGOÛT D'AGNEAU DE SAINT-MARTIN
POUR 4 À 6 PERSONNES

La tradition veut que ce plat des Antilles néerlandaises soit préparé avec de la chèvre. Cette version à l'agneau est tout aussi délicieuse. Je vous suggère d'accompagner ce plat de riz, de purée de pomme de terre ou de pâtes, et d'un légume à la menthe.

2 cuillères à soupe d'huile végétale
1 kg d'agneau, désossé, coupé en dés de 5 cm
2 oignons moyens hachés
4 gousses d'ail hachées
50 g de céleri haché
1 cuillère à café de racine de gingembre finement hachée
3 cuillères à soupe de piment habañero émincé
ou de sauce au piment (page 96)
1 petit poivron vert doux haché
2 tomates moyennes, pelées et hachées
1 cuillère à soupe de jus de citron ou de citron vert
1 cuillère à café de cumin moulu
1 cuillère à café de piment de la Jamaïque moulu

100 à 175 ml de bière
1 cuillère à soupe de vinaigre de vin rouge
1 gros concombre, épluché et haché
40 g d'olives vertes dénoyautées (facultatif)
1 cuillère à soupe de câpres (facultatif)

Faites chauffer l'huile dans une grande casserole, à feu moyen, mettez-y l'agneau à griller ; sortez les dés d'agneau et égouttez-les. Dans la casserole, versez les oignons, l'ail, le céleri, le gingembre, le piment ou la sauce au piment ; faites sauter jusqu'à ce que les oignons soient tendres.

Mélangez les dés d'agneau, la préparation à l'oignon, les tomates, le jus de citron ou de citron vert, le cumin et le poivre de la Jamaïque ; recouvrez avec la bière. Laissez mijoter 1 h 30 environ, jusqu'à ce que la viande s'attendrisse et commence à se détacher par morceaux. Ajoutez plus de bière si nécessaire. Incorporez le vinaigre, le concombre, les olives et les câpres, si vous le souhaitez, et laissez mijoter 15 minutes avant de servir.

RAGOÛT DE PIMENTS

POUR 6 À 8 PERSONNES

On dit de ce plat qu'il a ses origines dans la cuisine amérindienne ; et l'on en mange encore dans la plupart des îles comme à Tobago, Saint-Kitt et à la Barbade. Il semble que dans ces îles on fasse toujours mijoter une marmite de piments sur la cuisinière – certains Antillais s'amusent à raconter que leur arrière-arrière-arrière grand-mère commençait à préparer ce plat quelques décades avant de pouvoir le consommer.

2 cuillères à soupe de piments hachés
ou de sauce au piment (page 96)
1,25 kg de poulet, détaillé
1 queue de bœuf
500 g de porc ou de bœuf maigre, coupé en dés de 4 à 5 cm
2 cuillères à soupe d'huile végétale
1 gros oignon, coupé en morceaux
40 g de cassonade
1 cuillère à café de piment de la Jamaïque moulu
1 cuillère à café de thym
2 cuillères à café de cannelle moulue
1 cuillère à café de clous de girofle moulus
2 cuillères à soupe de vinaigre de malt

Mettez les morceaux de poulet dans une cocotte et recouvrez d'eau. Portez à ébullition, baissez le feu et faites mijoter 45 minutes, en écumant régulièrement. Sortez le poulet et réservez le bouillon dans la cocotte. Désossez le poulet et coupez-le en petits morceaux.

Dans une grande poêle à frire, faites revenir la queue de bœuf, le porc ou le bœuf dans l'huile. Égouttez la viande sur du papier absorbant. Ajoutez l'oignon dans la poêle et faites frire. Mélangez le poulet, la queue de bœuf, le porc ou le bœuf et les oignons dans la cocotte contenant le bouillon. Incorporez le sucre, le piment de la Jamaïque, le thym, la cannelle et les clous de girofle ; faites mijoter pendant 1 heure, jusqu'à ce que la viande s'attendrisse et que la daube épaississe. Rajoutez enfin le vinaigre et servez.

FAUX-FILET ET SON CHUTNEY D'ANANAS

POUR 4 À 6 PERSONNES

1 à 1,2 kg de faux-filet de bœuf, détaillé en tranches
épaisses de 1,5 cm et dégraissé
3 cuillères à soupe d'huile végétale
1/2 cuillère à café de sel
1 pincée de poivre noir fraîchement moulu
1 cuillère à café de curry en poudre
1 pointe d'ail en poudre
1 pointe de gingembre en poudre
1/2 cuillère à café de piment de la Jamaïque
1 pointe de noix muscade
1 pointe de cannelle

Chutney d'ananas
500 g d'ananas en boîte écrasés et égouttés
1 gros oignon vert, finement haché avec ses parties vertes
25 g de lamelles de noix de coco, de préférence non sucrées
50 g de poivron rouge doux, finement haché
1 cuillère à soupe de sauce au piment (page 96)
1 cuillère à soupe de racine de gingembre râpée
1 cuillère à soupe de jus de citron vert
1 cuillère à soupe de rhum ambré
sel et poivre blanc

Enduisez les deux côtés de la viande d'huile. Dans un petit bol, mélangez le sel, le poivre, le curry en poudre, l'ail, le gingembre, le piment de la Jamaïque, la noix muscade et la cannelle. Transférez ce mélange dans une large feuille de papier sulfurisé, roulez-y la viande des deux côtés pour bien l'imprégner. Réservez.

Pour préparer le chutney, mélangez l'ananas, l'oignon vert, la noix de coco, le poivron rouge, la sauce au piment, le gingembre, le jus de citron vert, le rhum, le sel et le poivre, dans un plat inoxydable, et remuez doucement. Couvrez et laissez reposer à température ambiante jusqu'au moment de servir.

Pour cuire la viande, mettez le reste d'huile dans une grande poêle à frire à feu moyen. Lorsque l'huile est chaude, déposez les tranches de faux-filet et faites-les cuire 4 minutes de chaque côté, selon votre goût.

Si vous préférez cuisiner au barbecue, enduisez légèrement la grille d'huile et placez-la à 13 ou 15 cm des braises. Faites griller la viande sur des braises vives, 8 minutes de chaque côté pour une cuisson à point. Dressez dans le plat de service et servez aussitôt.

Faux-filet et son chutney d'ananas.

GARNITURES

HOPPIN' JOHN

POUR 4 PERSONNES

Sans aucun doute, ce plat est d'origine africaine. Personne ne connaît vraiment l'origine de son nom, mais chaque cuisinier a une version de cette recette à base de riz et de pois yeux-noirs. Le folklore affirme que l'on déguste ce plat à l'occasion du premier de l'an et qu'il porte bonheur ; probablement parce qu'il est très nourrissant et qu'après en avoir mangé vous ne pourrez rien désirer d'autre. Malheureusement, cuisiné de façon traditionnelle, avec des morceaux de lard et des joues de bœuf, c'est un plat gras et riche en cholestérol. Ma version, plus diététique tout en restant nutritive, saura, je l'espère, vous combler. Si vous préférez une version végétarienne, ne mettez pas la viande.

700 ml d'eau
2 cubes de bouillon de volaille
1 tomate moyenne hachée
10 oignons verts hachés

1 feuille de laurier
1 cuillère à café de thym déshydraté
1 cuillère à café de sauce au piment (page 96)
275 g de riz long blanc
450 g de pois yeux-noirs en conserve,
égouttés et rincés
175 g de jambon cuit, dégraissé
et coupé en petits dés
sel et poivre
fraîchement moulu

Dans une grande casserole, portez à ébullition l'eau, le bouillon de volaille, la tomate, les oignons verts, la feuille de laurier, le thym et la sauce au piment. Ajoutez le riz, couvrez et laissez mijoter environ 25 minutes. Rajoutez les pois yeux-noirs et le jambon, couvrez et laissez mijoter 8 à 10 minutes.

PATATES PLUS DOUCES QUE DOUCES

POUR 4 PERSONNES

Apportez sur votre table la saveur des tropiques avec cette recette simple et rapide. Ce plat accompagne merveilleusement bien le jambon ou les côtelettes de porc et sa couleur éclatante permet de se passer de garniture.

4 grosses patates douces, bouillies et émincées
2 boîtes de 225 g d'ananas en morceaux, égouttés
1/2 cuillère à café de noix muscade moulue

2 cuillères à café de racine de gingembre râpée
2 cuillères à café de cannelle moulue
2 cuillères à soupe de rhum ambré

Préchauffez le four à 180 °C, thermostat 4. Disposez en une couche les patates dans un plat à rôtir. Mélangez l'ananas, la noix muscade, le gingembre, la cannelle et le rhum ; versez sur les pommes de terre. Laissez cuire 5 minutes et servez.

PAIN DE PATATES DOUCES
POUR 4 PERSONNES

Ce plat parfumé haïtien est un pudding de patates douces à base de *boniatos* – tubercule à chair blanche qui sent la violette. Si vous ne trouvez pas de *boniatos*, remplacez-les par des pommes de terre ordinaires à chair blanche et ajoutez à votre plat 1 cuillère à café de piment de la Jamaïque.

275 g de boniatos râpées
350 ml de lait concentré en boîte
225 ml de lait de noix de coco (page 14)
3 bananes bien mûres écrasées
175 g de cassonade
1 œuf

1/2 cuillère à café de cannelle moulue
1/2 cuillère à café de noix muscade moulue
1 cuillère à café d'essence de vanille
1/2 cuillère à soupe de rhum ambré
25 g de beurre doux, fondu
écorce d'un demi-citron vert râpée

Préchauffez votre four à 200 °C, thermostat 6. Mélangez les boniatos, le lait concentré, le lait de noix de coco, les bananes, le sucre, l'œuf, les épices, le rhum, le beurre et l'écorce du citron. Versez dans un plat beurré allant au four et laissez cuire 1 heure. Servez chaud ou froid.

RATATOUILLE DE MAÏS AU CURRY
POUR 4 PERSONNES

25 g de beurre doux
3 cuillères à soupe d'oignon vert haché
1 cuillère à café d'ail émincé
2 cuillères à café de curry en poudre
4 épis de maïs frais, grains détachés
1 poivron doux rouge, coupé en lamelles fines de 4 cm
2 poivrons doux verts, coupés en lamelles de 4 cm
4 petites tomates cerises mûres, coupées en petits dés
50 g de concombre, en petits dés
1/2 tasse de châtaignes d'eau, finement émincées (facultatif)
sel à volonté
2 cuillères à soupe de coriandre fraîche hachée
2 cuillères à soupe de lait de noix de coco (page 14)
(facultatif)
sauce au piment (page 96) à volonté

Faites fondre le beurre dans une poêle à frire. Ajoutez l'oignon vert, l'ail et le curry en poudre ; faites cuire en remuant, jusqu'à ce que les oignons soient tendres. Incorporez le maïs, les poivrons, les tomates, le concombre, les châtaignes, si vous en utilisez, et le sel. Mélangez bien, couvrez et faites cuire, 2 minutes environ, à feu moyen. Ajoutez la coriandre, le lait de noix de coco, si vous en utilisez, et la sauce au piment ; mélangez bien et servez.

RIZ CALYPSO
POUR 4 PERSONNES

Voici un plat propre à réveiller toutes les cuisines, grâce à son mélange unique de saveurs et de textures. À la place du poulet, je vous suggère d'utiliser du porc ou du bœuf maigre.

200 g de riz long blanc
1 cuillère à café de sel
50 g de petits grains de maïs
50 g de champignons de Paris entiers,
de champignons de couche ou de champignons de votre
choix, grossièrement hachés
25 g de châtaignes d'eau, grossièrement hachées
1 carotte grossièrement hachée
1 cuillère à soupe de coriandre fraîche
ou de persil grossièrement haché
1 oignon moyen, grossièrement haché
1/2 poivron doux rouge, grossièrement haché
1/2 poivron doux vert, grossièrement haché

50 g de beurre doux ou de margarine
1 1/2 cuillère à café de sauce soja
la moitié d'un blanc de poulet (environ 100 g),
cuit et grossièrement haché
75 g de petits pois surgelés

Préchauffez votre four à 170 °C, thermostat 3. Faites bouillir le riz dans l'eau salée jusqu'à ce qu'il soit tendre, mais ferme. Égouttez et réservez dans une casserole profonde. Faites sauter, pour les attendrir, le maïs, les champignons, les châtaignes d'eau, les carottes, la coriandre ou le persil, l'oignon et les poivrons dans le beurre ou la margarine. Réservez. Mélangez la sauce soja et le poulet au riz chaud. Incorporez les légumes et transférez dans un faitout (1 litre) ; laissez cuire 15 à 20 minutes. Mettez les petits pois à cuire, dans un autre récipient, quelques minutes avant la fin de la cuisson. Égouttez-les, mélangez-les aux autres ingrédients et servez.

POMMES DE TERRE CRÉOLES
POUR 4 PERSONNES

8 petites pommes de terre nouvelles (environ 450 g),
épluchées (facultatif) et coupées en 4
3/4 cuillère à café d'un mélange d'épices (page 92)
25 g de beurre doux ou de margarine fondu
2 cuillères à soupe de coriandre hachée
brins de coriandre pour la décoration (facultatif)

Posez les pommes de terre dans le panier d'une Cocotte-minute, sur de l'eau bouillante. Fermez la cocotte et laissez cuire 12 à 15 minutes. Transférez les pommes de terre dans un saladier et saupoudrez d'un mélange d'épices. Ajoutez le beurre et la coriandre ; remuez pour bien imprégner les pommes de terre du parfum des épices. Décorez de brins de coriandre, si vous le souhaitez.

RIZ AUX HARICOTS COCO LOCO
POUR 4 PERSONNES

Dans la cuisine traditionnelle caribéenne, on mélange souvent le lait de noix de coco et les pois yeux-noirs, mais dans cette recette les haricots rouges nains conviennent tout aussi bien. Les Jamaïcains ont fait une autre adaptation de ce plat coloré, baptisée *Blason de Jamaïque*. Ma version fait aussi un emprunt à la cuisine haïtienne avec l'ajout de champignons au goût piquant.

450 ml d'eau
40 g de champignons noirs haïtiens déshydratés,
de cèpes ou de girolles, grossièrement émiettés
et mis à tremper dans de l'eau chaude
pendant 30 minutes (facultatif)
450 ml de lait de noix de coco (page 14)
225 g de haricots rouges nains, rincés
1 cuillère à café de vinaigre de malt
1 cuillère à café de thym déshydraté
3 grains de poivre entiers, moulus
2 baies de piment de la Jamaïque entières, moulues
200 g de riz long blanc
1 petit oignon, grossièrement haché

1 gousse d'ail écrasée
huile végétale pour la friture
50 g de bacon cuit, dégraissé
et grossièrement haché
1 cuillère à café de sel pour la cuisson du riz
sel et poivre noir fraîchement moulu, à volonté

Dans une casserole moyenne inoxydable, portez l'eau à ébullition avec les champignons et le lait de noix de coco, en écumant la surface. Ajoutez les haricots, le vinaigre, le thym, le grain de poivre et le piment de la Jamaïque. Baissez le feu, couvrez et faites mijoter 10 minutes. Versez le riz et réglez le feu au minimum ; couvrez et laissez cuire 20 minutes, jusqu'à ce que le riz soit tendre.

Entre-temps, faites frire l'oignon et l'ail dans un peu d'huile ; incorporez dans le mélange riz et haricots, avec le bacon haché. Faites frémir, couvrez et laissez cuire 10 minutes. Aérez le mélange à l'aide d'une fourchette, salez et poivrez à volonté et servez.

GALETTES DE MANIOC ET DE CIBOULETTE
POUR 4 PERSONNES

Le léger parfum d'oignon de la ciboulette stimule la saveur un peu fade du manioc. Cette recette constitue un savoureux accompagnement de bien des plats de résistance. Servez les galettes nappées d'une goutte de sauce citron vert-raifort (page 96) ou d'une larme de sauce papaye au piment (page 96).

450 g de manioc frais, pelé
2 cuillères à soupe de ciboulette fraîche hachée
1 œuf battu
sel et poivre noir fraîchement moulu
50 g de chapelure
75 g de beurre doux

Faites bouillir le manioc jusqu'à pouvoir facilement le percer avec une fourchette, soit 35 à 45 minutes. Égouttez-le bien. Lorsqu'il est froid, débarrassez-le des parties filandreuses. Coupez le manioc en deux morceaux de 2,5 cm d'épaisseur que vous réduirez en purée dans le bol mixeur de votre robot. Passez la chair dans une passoire à larges mailles au-dessus d'un saladier. Incorporez la ciboulette, puis l'œuf, et enfin le sel et le poivre. Formez des petites galettes de 7,5 cm sur 1 cm d'épaisseur. Mettez la chapelure dans un bol. Roulez-y chaque galette pour les recouvrir d'une fine couche de chapelure. Faites fondre le beurre dans une poêle à frire moyenne à feu doux. Déposez les galettes et laissez cuire 5 minutes de chaque côté, jusqu'à ce qu'elles dorent. Sortez-les de la poêle à l'aide d'une écumoire et faites-les égoutter sur du papier absorbant. Servez immédiatement.

POMMES DE TERRE À LA CRÈME D'AIL

POUR 4 PERSONNES

2 ou 3 grosses pommes de terre (environ 450 g) épluchées
4 gousses d'ail, non pelées
sel et poivre noir fraîchement moulu
100 ml de lait
15 g de beurre doux
1 pointe de noix muscade fraîche râpée
1 petit œuf battu
15 g de cheddar râpé

Mettez les pommes de terre et les gousses d'ail dans une grande casserole et recouvrez d'eau froide salée. Portez à ébullition à feu vif, puis couvrez et baissez le feu. Laissez mijoter, environ 45 minutes, jusqu'à ce que les pommes de terre soient tendres.

Égouttez les pommes de terre et l'ail, pelez les pommes de terre et retirez la peau des gousses d'ail. Remettez le tout dans la casserole et réduisez en purée.

Préchauffez le gril du four. Faites chauffer le lait dans une autre casserole. Ajoutez le beurre, la noix muscade et remuez jusqu'à ce que le beurre soit fondu. Versez progressivement le lait sur les pommes de terre, en remuant à l'aide d'une cuillère en bois. Ajoutez l'œuf, mélangez bien ; salez et poivrez à volonté.

Transférez la préparation dans un plat à gratin (23 cm) ou dans tout autre plat allant au four. Lissez le dessus de la purée à l'aide d'une spatule et saupoudrez de fromage. Placez sous le gril pour dorer délicatement.

PLANTAINS VERTS FRITS DEUX FOIS
ET LEUR SAUCE CHAUDE AU CURRY
POUR 4 PERSONNES

À l'occasion d'une réception, vous pouvez agrémenter ce plat d'un nappage de crème aigre et de caviar, de sauce chaude au curry (voir ci-dessous), ou de sauce orange-curry (page 65).

450 ml d'huile végétale
2 plantains verts (450 g), épluchés et coupés
en tranches de 1 cm d'épaisseur
sel et poivre blanc

Sauce chaude au curry
225 ml d'eau
25 g de lait en poudre écrémé
1 1/2 cuillère à soupe de farine complète
1 pincée de sel
1 pincée de poivre noir
2 cuillères à café de beurre clarifié
1/2 cuillère à café de curry en poudre

Préparez tout d'abord la sauce au curry : mélangez l'eau, le lait en poudre et la farine dans une grande casserole. Remuez jusqu'à obtention d'une consistance onctueuse. Faites cuire à feu moyen, sans cesser de remuer, jusqu'à ce que la préparation épaississe et se mette à bouillonner. Incorporez alors les autres ingrédients.

Dans une casserole moyenne, faites chauffer l'huile sans la faire fumer, à une température de 190°C environ. Faites frire les tranches de plantains, 4 à la fois, dans l'huile chaude, jusqu'à ce qu'elles dorent (2 à 3 minutes). Égouttez-les sur du papier absorbant. À l'aide d'un rouleau à pâtisserie ou entre 2 planches à découper en bois, aplatissez les tranches de plantains frits en fines galettes.

Faites-les frire à nouveau, 6 à 8 galettes par fournée, jusqu'à ce qu'elles soient complètement dorées, 2 minutes environ. Égouttez-les sur du papier absorbant. Salez, poivrez, et servez les galettes chaudes ou à température ambiante, accompagnées de la sauce.

GALETTES D'AIL ET D'IGNAME
POUR 4 PERSONNES

Sortez des classiques riz ou pommes de terre avec ce tubercule tropical au goût de noisette. Si vous ne trouvez pas d'ignames, utilisez des courgettes. Ces galettes sont particulièrement savoureuses accompagnées d'un rôti de bœuf, de steaks, de rôti de porc ou encore de poisson à la saveur corsée.

750 g d'ignames, grossièrement râpés
1 cuillère à soupe d'ail haché
1 cuillère à soupe de ciboule hachée
sel et poivre noir fraîchement moulu
1 œuf légèrement battu
20 g de farine complète
50 ml d'huile végétale

Mélangez l'igname, l'ail, la ciboule, le sel et le poivre. Ajoutez l'œuf battu et remuez doucement. Incorporez la farine.

Mettez l'huile à chauffer dans une grande poêle à frire profonde. Pour former une galette, versez 1 cuillère à soupe de votre préparation dans la poêle et aplatissez-la légèrement avec le dos d'une cuillère. Faites frire 2 à 3 minutes, à feu moyen, les deux côtés des galettes jusqu'à ce qu'elles soient dorées. (Retournez-les délicatement afin de ne pas faire gicler l'huile.) Égouttez-les sur du papier absorbant. Remuez bien votre préparation avant chaque nouvelle fournée.

TUBERCULE TROPICAL FRIT
ET SA MAYONNAISE AU CURRY
POUR 4 À 6 PERSONNES

1 blanc d'œuf
1 cuillère à soupe de mélange d'épices (page 92)
500 g de manioc, de patates douces ou d'ignames
coupés en tranches fines de 1,5 cm d'épaisseur
huile végétale
sel

Mayonnaise au curry
150 ml de mayonnaise
75 ml de yaourt entier
1 cuillère à soupe de curry en poudre
1 cuillère à café de gingembre moulu
1/2 cuillère à café de curcuma
1/2 cuillère à café de paprika,
de préférence du hongrois doux
1/2 cuillère à café de piment rouge en poudre
1 pincée de sel

Dans un petit bol, mélangez la mayonnaise et le yaourt. Versez les épices et une pincée de sel, couvrez et mettez au réfrigérateur au moins 1 heure ou toute une nuit.

Préchauffez votre four à 200 °C, thermostat 6. Dans un grand saladier, battez légèrement le blanc d'œuf à la fourchette jusqu'à ce qu'il mousse. Incorporez le mélange d'épices. Ajoutez les tubercules, remuez pour bien enrober chaque tranche. Déposez les tranches sur une plaque à gâteau non adhésive, uniformément huilée. Disposez-les en une seule couche et salez légèrement. Faites cuire au four 30 à 40 minutes. Servez accompagné de la sauce au curry.

HARICOTS NOIRS LATINO
POUR 6 À 8 PERSONNES

S'il vous reste de ce plat, réduisez en purée un peu de la préparation aux haricots avec le jus de cuisson et ajoutez du piment et un mélange d'épices à volonté, vous obtiendrez ainsi une sauce aux haricots. Vous pouvez aussi les mélanger à quelques olives noires émincées, avec des raisins secs et des amandes effilées pour agrémenter d'une note sucrée au goût de noisette.

450 g de haricots noirs, rincés et triés
2 l d'eau froide
2 petits jambonneaux (environ 550 g)
100 ml + 2 cuillères à café d'huile d'olive
2 gros oignons finement hachés
4 gousses d'ail finement hachées
1 gros poivron vert finement haché
1/2 cuillère à café de cumin moulu
1/2 cuillère à café d'origan moulu
2 feuilles de laurier
sel
2 cuillères à café de sauce au piment (page 96)
1 cuillère à soupe de vinaigre de vin rouge
1 cuillère à café de sucre
oignon haché pour la décoration (facultatif)

Faites tremper les haricots, si nécessaire, selon les indications données sur le paquet. Égouttez-les et mettez-les dans un grand faitout avec l'eau et les jambonneaux. Portez à ébullition et laissez cuire doucement, découvert, en écumant de temps en temps. Après 1 h 30 de cuisson les haricots doivent être tendres.

Pendant ce temps, faites chauffer l'huile dans une poêle à frire avec l'oignon, l'ail et le poivron. Laissez cuire en remuant, jusqu'à ce que les oignons soient translucides et que le poivron soit tendre. Ajoutez le cumin et l'origan ; remuez bien.

Quand les haricots ont cuit environ 1 heure, transférez la préparation à l'oignon dans le faitout, avec les feuilles de laurier et la sauce au piment. Lorsque les haricots sont bien tendres, sortez les feuilles de laurier et les jambonneaux. Assaisonnez de sauce au piment, de sel, de vinaigre, de sucre et de 2 cuillères à café d'huile d'olive. Vous pouvez préparer ce plat la veille et le faire réchauffer.

Servez les haricots sur un lit de riz et présentez avec un peu d'oignon haché, séparément, pour répartir sur les haricots. Posez sur la table une coupelle d'huile d'olive et une autre de vinaigre au piment, de façon à ce que vos invités puissent en assaisonner leur assiette à leur goût.

RIZ AUX POIS D'ANGOLE
POUR 4 PERSONNES

Aux Bahamas, on nomme ce plat, assez fort à propos, riz des Bahamas aux pois d'angole. À Porto Rico, on le connaît sous le nom de *Arroz con gandules* – ou sous le diminutif « Bahaméen ». Si vous ne trouvez pas de pois d'angole, utilisez des haricots rouges, ou mieux, des haricots rouges nains. Ce plat accompagne parfaitement le poulet ou toute autre viande, et peut à lui seul composer un repas complet si vous lui rajoutez quelques restes de viande.

2 cuillères à soupe d'huile
1 petit oignon haché
2 gousses d'ail écrasées
4 cuillères à soupe de concentré de tomate
2 tomates mûres hachées
1 poivron doux vert haché
1/2 cuillère à café de thym

4 cuillères à soupe de coriandre fraîche
450 g de pois d'angole égouttés
200 g de riz long blanc
450 ml d'eau
2 cuillères à soupe de jus de citron vert
sauce au piment (page 96) à volonté
sel et poivre noir fraîchement moulu, à volonté

Faites chauffer l'huile dans une casserole et ajoutez l'oignon. Laissez cuire doucement 5 minutes, puis ajoutez l'ail, le concentré de tomate, les tomates mûres hachées, le poivron vert et le thym. Faites cuire une minute de plus. Incorporez la coriandre, les pois d'angole et le riz ; faites sauter 1 minute. Versez l'eau et le jus de citron vert ; laissez mijoter, couvert, 15 minutes, jusqu'à ce que le riz soit cuit. Ajoutez la sauce au piment, salez et poivrez à volonté. Servez.

PAINS ET DESSERTS

PUDDING BOULANGER ET SA SAUCE AU RHUM
POUR 4 PERSONNES

Pudding au pain
225 ml de lait
100 ml de crème épaisse,
et un peu plus pour le service
50 g de sucre
2 petits jaunes d'œufs
1 gros œuf
1/2 cuillère à soupe d'essence de vanille
1/2 cuillère à café de noix muscade fraîchement râpée
1 pincée de sel
8 tranches (de 1,5 cm d'épaisseur chacune) de pain frais
à la banane, de pain à la noix de coco (page 122)
ou de tout autre pain spécial de votre choix
1 grosse banane, coupée en rondelles de 8 mm d'épaisseur

Sauce au rhum
50 g de beurre doux
40 g de cassonade
2 cuillères à soupe de jus de citron fraîchement pressé
100 ml de rhum
50 ml d'eau

Beurrez généreusement un plat de 3 litres, allant au four. Battez le lait, la crème et le sucre dans un grand saladier. Ajoutez, un par un, les jaunes d'œufs ainsi que l'œuf entier, en fouettant bien à chaque fois. Incorporez la vanille, la noix muscade et le sel ; réservez.

Coupez 7 tranches de pain en bâtonnets larges de 2,5 cm. Disposez les bâtonnets, en une seule couche, au fond du plat beurré, en les recoupant et en les ajustant de façon à bien recouvrir le fond et les bords du plat. Tapissez d'une couche de rondelles de banane et versez suffisamment de crème pour les recouvrir. Répétez l'opération, 1 couche de pain, 1 couche de rondelles de banane.

Coupez la tranche de pain restante en dés et répartissez-les sur les bananes. Versez le reste de crème à la surface, en tassant légèrement les dés de pain ; couvrez. Réservez 30 minutes.

Entre-temps, préchauffez votre four à 180 °C, thermostat 4. Faites cuire le pudding jusqu'à ce qu'il soit presque dur à l'intérieur, soit à peu près 45 minutes. Découvrez alors votre plat et laissez cuire jusqu'à ce que les dés de pain dorent, soit environ 15 minutes supplémentaires. Sortez du four et laissez refroidir sur une grille métallique.

Pendant ce temps, préparez la sauce. Faites fondre le beurre à feu moyen dans une petite casserole. Incorporez, tout en battant, le sucre, le jus de citron, le rhum et l'eau ; portez à grosse ébullition. Laissez cuire, en fouettant de temps en temps, jusqu'à ce que la préparation commence à épaissir et que le sucre fonde, 5 minutes environ. Sortez votre sauce du feu et transférez-la dans un pot.

Servez avec le pudding légèrement refroidi et de la crème fraîche, si vous le souhaitez.

PETITS PAINS

C'est la version créole du petit pain au lait. Frits, accommodés de diverses manières, ils sont dégustés dans toutes les îles. Préparez une grosse fournée – ils partiront vite !

225 g de farine complète
25 g de beurre doux
1/2 cuillère à café de sel
2 cuillères à café de levure chimique
2 cuillères à café de sucre
150 ml de lait

Tamisez les ingrédients secs au-dessus d'un saladier ; ajoutez progressivement le beurre coupé en petits morceaux jusqu'à obtention d'une pâte sablée. Incorporez le lait et remuez pour lisser la pâte. Pétrissez 5 minutes sur une planche farinée ; mettez 30 minutes au réfrigérateur. Détachez des morceaux de pâte de la taille d'un citron, roulez-les et aplatissez-les sur 1 cm d'épaisseur. Faites-les frire dans l'huile bouillante jusqu'à ce qu'ils soient dorés.

PAIN À LA NOIX DE COCO
POUR 4 PAINS

Tellement délicieux lors d'un petit déjeuner ou à l'heure du thé, avec de la confiture, de la gelée ou de la marmelade – ou tartiné d'un peu de fromage blanc, puis recouvert de confiture ou de marmelade ! Coupez deux tranches épaisses, enveloppez-les et congelez-les ; vous aurez une réserve toute prête pour le grille-pain. Ils peuvent se conserver 2 mois.

450 g de beurre doux ramolli
500 g de sucre
8 œufs
8 cuillères à café d'essence de noix de coco
1 l de crème fraîche
450 g de noix de coco déshydratée
1 kg de farine
4 cuillères à café de bicarbonate de soude
4 cuillères à café de levure chimique

Préchauffez votre four à 180 °C, thermostat 4. Malaxez le beurre et le sucre. Incorporez et fouettez les œufs et l'essence de noix de coco, puis la crème fraîche. Ajoutez la noix de coco. Mélangez la farine, le bicarbonate de soude et la levure chimique et incorporez dans la préparation. Malaxez jusqu'à obtention d'une pâte. Divisez cette pâte en 4 ; déposez-la dans des moules légèrement graissés et laissez cuire 45 minutes, jusqu'à ce qu'une pique à cocktail enfoncée au centre de la pâte en ressorte sèche. Laissez refroidir avant de sortir des moules.

PAIN PERDU PIÑA COLADA
POUR 4 PERSONNES

Voici une suggestion pour petit déjeuner de vacances, même si cette recette est d'un tout aussi bel effet, servie en dessert. Préparez une sauce au rhum (page 120) pour en tartiner les toasts. Servez avec un chocolat chaud fumant ou un café de type *Jamaican Blue Mountain*.

6 œufs
1 cuillère à café de cannelle
1/2 cuillère à café de piment de la Jamaïque moulu
1/2 cuillère à café de noix muscade moulue
2 cuillères à soupe de rhum ambré
100 g d'ananas écrasé, bien égoutté
4 à 6 tranches de pain à la noix de coco
100 g de beurre doux

Fouettez les œufs, la cannelle, le piment, la noix muscade et le rhum. Ajoutez l'ananas, battez à nouveau. Mettez le pain dans une grande assiette creuse ou dans un plat peu profond ; versez la préparation aux œufs sur le pain. Retournez les tranches de pain jusqu'à ce qu'elles soient complètement imbibées du mélange aux œufs. Faites-les frire dans du beurre jusqu'à ce qu'elles soient dorées et servez immédiatement.

BANANES GRILLÉES ET LEUR SAUCE À LA GOYAVE
POUR 6 PERSONNES

Les bananes frites sont très appréciées aux Caraïbes ; mais cette recette évite l'omniprésent sucre roux caramélisé habituellement utilisé dans ce dessert. Vous pouvez intégrer n'importe quelle confiture ou liqueur de fruit dans la sauce pour en varier le parfum.

6 bananes moyennes, épluchées,
coupées dans le sens de la longueur
15 g de cassonade
25 g de beurre doux, coupé en petits morceaux
75 g de gelée de goyave ou toute autre gelée de fruits
sans pépins ou de la confiture
1 cuillère à soupe de jus de citron vert
1 cuillère à soupe de xérès

Préchauffez votre four à 180 °C, thermostat 4. Disposez les tranches de banane dans un plat en verre allant au four. Saupoudrez-les uniformément de sucre et déposez une pointe de beurre. Laissez cuire 15 minutes.

Entre-temps, dans une petite casserole inoxydable, mélangez la gelée ou la confiture avec le jus de citron vert et le xérès ; faites fondre à petit feu, en remuant de temps en temps. Versez sur les bananes ; laissez cuire 5 minutes de plus. Disposez deux morceaux de banane, recouverts de sauce, dans chaque assiette. Servez immédiatement.

FLAN AU CAFÉ DE JAMAÏQUE
POUR 6 PERSONNES

175 g de sucre
50 ml d'eau
275 ml de lait (pas de lait écrémé)
225 ml de crème chantilly
2 cuillères à soupe de café soluble instantané
3 œufs
3 jaunes d'œuf
175 g de sucre en poudre
3 cuillères à soupe de liqueur de café

Placez la grille au milieu du four ; préchauffez à 170 °C, thermostat 3. Disposez 6 ramequins de 100 ml ou des plats à soufflé dans un grand faitout. Mettez celui-ci dans le four et laissez chauffer vos ramequins environ 10 minutes.

Pendant ce temps, dans une petite casserole, portez le sucre avec l'eau à ébullition, en remuant jusqu'à ce que le sucre fonde. Détachez tous les petits cristaux de sucre accrochés sur les bords de la casserole avec une spatule humide. Maintenez l'ébullition, sans remuer, jusqu'à ce que la préparation vire au brun, environ 10 minutes. Versez immédiatement le caramel en parts égales dans les ramequins ou les plats à soufflé. Inclinez-les doucement pour que le caramel tapisse également les bords. Laissez refroidir.

Portez le lait et la crème à ébullition dans une grande casserole. Sortez du feu et incorporez le café soluble. Dans un bol, battez les œufs et les jaunes d'œufs. Versez, sans cesser de remuer, le sucre en poudre et la liqueur de café et incorporez progressivement, en fouettant, dans le lait chaud avec le café. Filtrez la crème et répartissez-la dans les ramequins ou les plats à soufflé.

Remettez les ramequins ou les plats à soufflé dans le faitout. Versez suffisamment d'eau bouillante, à peu près au niveau dê la moitié des ramequins. Laissez cuire jusqu'à ce que les bords des flans soient pris, de façon à ce qu'une pique à cocktail insérée au cœur des flans en ressorte sèche, soit environ 50 à 60 minutes.

Sortez les flans du four. Servez-les quand ils sont à température ambiante. Si vous les avez préparés à l'avance, détachez alors les bords des flans des ramequins avec un petit couteau bien aiguisé, mettez-les toute une journée au réfrigérateur, et démoulez dans les assiettes au moment de servir.

FLAN DE MANGUE
POUR 6 PERSONNES

Cette recette associe deux grandes passions cubaines : le flan et la mangue. Si ce plat est préparé hors saison, on peut remplacer la pulpe fraîche par de la pulpe en conserve.

Caramel
175 g de sucre en poudre
1 cuillère à soupe d'eau

Flan
4 petits œufs
2 jaunes d'œufs
100 ml de lait condensé sucré
100 ml de lait
50 g + 2 cuillères à café de sucre en poudre
225 g de pulpe de mangue fraîche ou des nectarines, ou des pêches, écrasées et égouttées

Dans une petite casserole, mélangez le sucre et l'eau ; faites cuire à feu moyen, en remuant souvent, jusqu'à ce que la préparation bouillonne et prenne une légère couleur caramel. Versez dans 6 ramequins. Inclinez-les doucement pour tapisser les bords de caramel. Laissez refroidir.

Préchauffez votre four à 130 °C, thermostat 5. Dans un récipient, mettez les œufs, les jaunes d'œufs, le lait concentré, le lait et le sucre à la pulpe de fruit ; mélangez bien. Versez dans les ramequins caramélisés. Déposez-les dans un grand plat à rôtir ; versez assez d'eau dans le plat, au niveau de la moitié des ramequins.

Faites cuire 40 minutes, jusqu'à ce qu'une pique à cocktail plongée au cœur des flans en ressorte propre. Mettez au frais avant de démouler et de servir.

INDEX